「革命の… …年12月６日、練馬文化センター）

革共同… …を圧倒的に実現

革共同第三次分裂の最終決着を宣言

米中冷戦《べいちゅうれいせん》怪化皮競《ばけのかわくらべ》
同盟国は集まれ！
Department of Labor
BLACK LIVES MATTER
岸田は便所掃除でもしてろ！
反戦
全学連
君主論
感染対策よりGoTo。だ！
ファシズム粉砕！
救国
学界様
マスコミ様
トロッコ トロ・トロ
中小はつぶしてしまえ！
中小
防衛
磯のアワビ
TOKYO
全集中の
デジタル人民監視

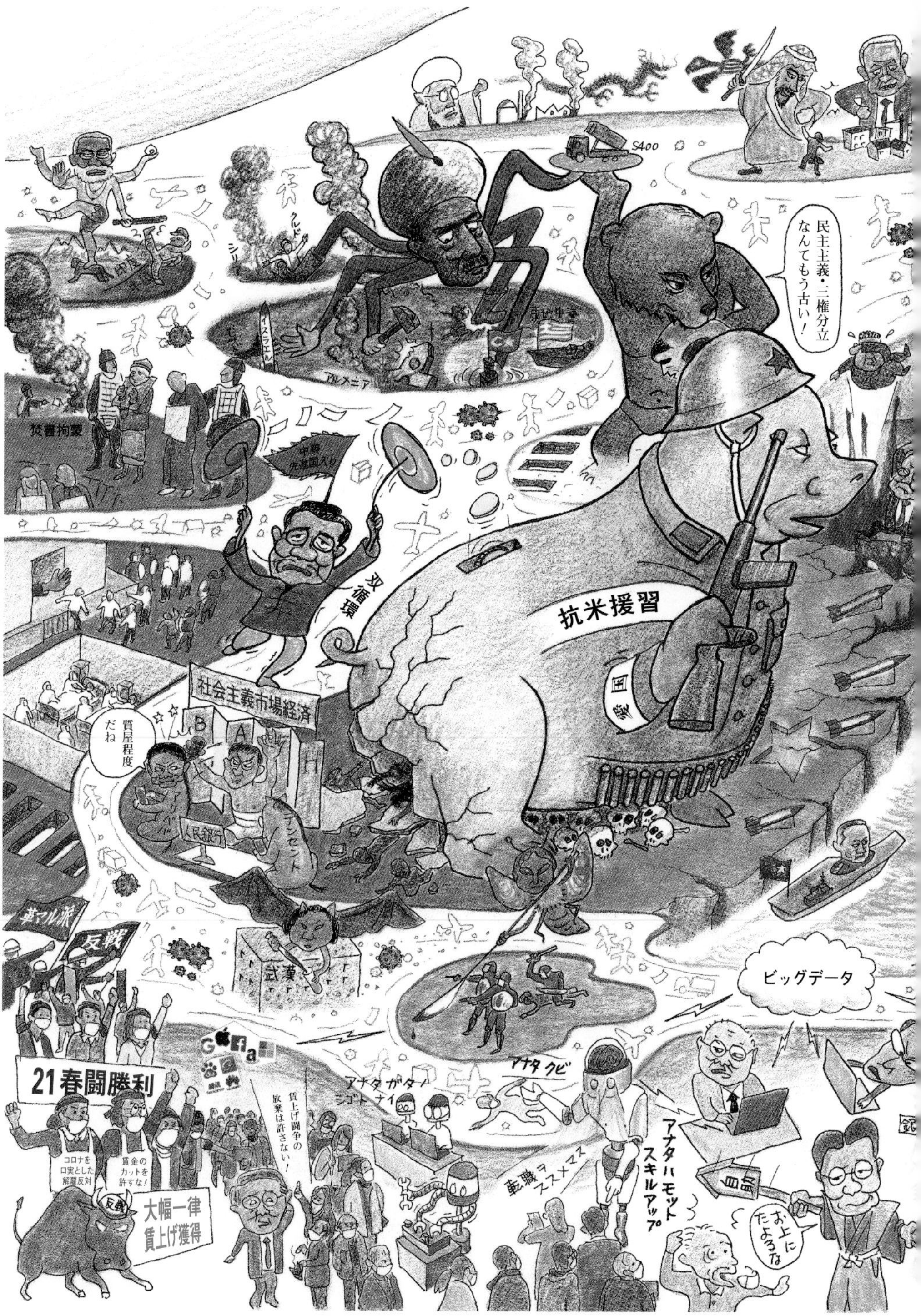

『解放』2021年新年号掲載　解題は166頁に掲載

沖縄県学連が辺野古ゲート前で工事用資材搬入阻止に起つ（12月2日）

「米軍戦闘機Ｆ35Ｂ増配備阻止」関西の闘う学生が岩国現地闘争（12月1日）

菅政権の極反動攻撃粉砕！　労学が国会に進撃（10月25日）

新世紀

第 311 号（2021年3月）
The Communist

帝国主義打倒！
　スターリン主義打倒！
　　万国の労働者団結せよ！

2021年3月　No.311　目次

新世紀

日本革命的共産主義者同盟 革命的マルクス主義派 機関誌

革命の新時代を切り拓け

パンデミック下の貧窮強制を打ち破れ！
反戦反ファシズムの炎を！

すべての労働者・学生諸君！

現代世界はいま、世界史的な激動のまっただなかにある。この二〇二一年の劈頭にあたって、わが革共同革マル派は、労働者・学生・人民に心から呼びかける。

中国武漢の研究所から漏出したと思われる新型コロナウイルスは、〈ヒト・モノ・カネ・サービス〉のグローバルな移動の波にのって一気に広がりパンデミックとなった。そしてこのパンデミックによって、現代資本主義の末期性が如実に露わとなった。巷では、「ポスト・コロナ社会」や「アフター・コロナ社会」はいかにあるべきかということが、囁かれはじめた。たしかにわれわれはいま、一つの時代が終わり一つの時代が幕を開ける世界史的激動のまさにまっただなかに於いてあるといえる。

だが、マルクスの唯物史観を背骨とするわれわれにとって、いわゆる「ポスト・コロナ」が何であるかは自明である。末期性を露わにしている腐朽せる現代資本主義をその根底から覆し、それをつうじて開かれる「つぎの今」とは、真実の社会主義・共産主義の創造以外にありえないのだ。

〈パンデミック恐慌〉のなかでむきだしになったのは十九世紀的＝古典的な階級分裂と貧困であり、それはまさに末期資本主義の死の痙攣が始まったことを意味する。まさにマルクスが言ったように「資本主義はみずからの墓掘人を生産している」のだ。

この課題を実現しうる歴史創造の主体は、まさに「鉄鎖のほかに失うべきものをもたない」労働者階級以外にありえない。労働者階級の階級的自己組織化にもとづく自己解放の実現によってのみ「人間社会の前史」に終止符を打つことができるのである。そしてそれを導きうるのは、わが反スターリン主義革命的左翼にほかならない。

まさにこうした歴史的使命を自覚し、歴史の創造的先端を切り拓く決意に燃えて、この二〇二一年の闘いへ勇躍決起しようではないか！

新型コロナウイルスによる感染は今なお全世界に拡大し膨大な感染者と死者を生みだしつつある。世界経済は突然奈落に落とされ、生産は縮小し、世界中に張りめぐらされたサプライチェーンはズタズタに寸断されている。この未曽有の経済的破局をのりきるために各国ブルジョアどもは、一九二九年大恐慌以上の大規模な大量解雇と賃金削減を強行し、夥しい数の労働者が巷に放り出されている。

しかも、世界最大の感染大国となり貧富の格差と

〈目　次〉

人種差別をむきだしにしている軍国主義帝国アメリカと、今世紀半ばまでに「社会主義現代化強国」を実現するという世界制覇戦略の実現に向かって突進しはじめたネオ・スターリニスト国家中国との激突のなかで、台湾海峡・南シナ海・尖閣諸島海域そして中東において、いつなんどき戦火が上がりかねない一触即発の危機が生みだされている。

日本においてもコロナ感染の第三波が全国を襲っている。企業の倒産や廃業は加速され、夥しい労働者が困窮のどん底に突き落とされている。住む所も食べる物もない困窮に苦しむ労働者は激増している。だが、日本型ネオ・ファシスト菅政権は〝国に頼るな〟〝自己責任で努力しろ〟などと「自助」を叫んでいるのだ。この冷血漢にしてネオ・ファシストの菅政権をわれわれは早急に打倒しなければならない。

日本型ネオ・ファシズム統治形態を一挙に強化せんとしている菅政権の打倒をめざして、われわれは、市民主義的・議会主義的に堕落を深める既成反対運動をのりこえ、反戦反安保・反ファシズムの闘いを、そして独占ブルジョアどもによる貧困の強制を打ち砕く政治経済闘争を断固として創造しなければならない。

すべての労働者・学生・人民諸君！　戦争と圧政と貧困に覆われたこの暗黒の二十一世紀を、何としても覆すという決意に燃えて、二〇二一年を、まさにわが反スターリン主義運動を飛躍的に前進させる年にしようではないか！

Ⅰ　パンデミック下で切り拓いたわが闘いの地平

1　困窮人民見殺しの安倍政権を許さず闘いを展開

本二〇二一年の階級闘争をさらに領導するためにこそ、われわれはまずもって、昨二〇二〇年の闘いをふりかえり、その教訓をうちかためるのでなければならない。

二〇二〇年春――労働者・学生の激闘

新型コロナウイルス感染症の一挙的拡大と、パンデミック恐慌への突入という情勢のもとで、たたかう労働者・学生は二〇二〇年早春から「〈パンデミック恐慌〉下での労働者人民への犠牲強制を許すな！」「政府は困窮する労働者に直接無条件に生活補償せよ」と安倍政権につきつけたたかった。安倍政権の感染対策と経済対策の反人民性のゆえに、感染は日本全国に拡大し、そして経営悪化した企業から数多の労働者が解雇された。しかし安倍政権は、困窮する人民への生活補償もしないままに四月には「緊急事態宣言」を強権的に発したのであった。

大企業では一部の「ＩＴ人材」以外の、パートやアルバイトの非正規雇用労働者が無慈悲に解雇され、倒産や廃業を余儀なくされた中小・零細企業でも、大量の労働者が突然解雇された。寮からも追い出され、食べ物もない労働者が続出した。過酷な重労働を強いられていた外国人労働者も路頭に放り出された。一時帰休を強いられた労働者への賃金不払いが横行した。まさに生活困窮の地獄に突き落とされた人民は、政権への怒りにうち震えていたのである。

わが革命的・戦闘的労働者は「生活補償なき緊急事態宣言の強権的発令反対！」というスローガンのもとに職場生産点でたたかった。当局による「感染防止」を理由とした組合活動の規制に抗して、活動を緻密化しつつ、多くの労働者を戦列に組織化したのである。

バイト先から放り出された学生は学費が払えずに退学者が続出した。キャンパスは閉鎖され、新入生歓迎活動もできない悪条件下で、たたかう学生はこれをこじ開けた。「学費の無償化、貧窮学生を支援せよ」とのスローガンを掲げ、ＳＮＳやリモートを使って自治団体の討論会や総会を断固開催した。そして対当局の自治規制反対の抗議闘争をも多くの自治会員や新入生を組織化してたたかった。各学園から米中冷戦下の戦争的危機を突破する闘いの炎を吹き上げ、そして昨秋には当局による大学祭規制をはねのけ、多くの大学で対面での大学祭やオンライン大学祭などを、盛大に実現したのである。

ところで、日本共産党指導部は反戦・反改憲の闘いの一切を放棄するのみならず貧窮を強制する安倍政権との闘いも放棄した。なんと委員長・志位和夫は、安倍を「プッシュする姿勢でやっていく」「私たちは安倍政権打倒とは言っていない」などとのたまい、あらかじめ「安倍政権打倒」は封印し闘争放棄を決めこんだ。このような腐敗を弾劾し、わがたたかう労働者・学生は、五月初旬の「緊急事態宣言」延長に際して、「安倍政権を打倒せよ」と呼びかけてたたかったのだ。小さなアベノマスクから漏れる安倍晋三の顔は憔悴しきっていた。「新しい生活様式を楽しんでください」などと自宅で愛犬を抱いて優雅に過ごす動画ほど醜悪なものはなかった。

五月八日に全学連ヘル部隊は厳戒態勢をはねのけ首相官邸に進撃し抗議闘争を断固展開した。この闘いにつづいて、六月十四日には労学が腕を組んで「労働者・学生への犠牲強制を許すな！　米中冷戦下の戦争勃発の危機を打ち破れ！」と訴え、首都を席巻してたたかった。全国のたたかう労学も、戦闘的デモンストレーションに各地で決起したのである。

人民の怒りで吹き飛ばされた安倍政権

「反安倍」の怒りの声が、燎原の火のように燃え広がったのは何故か。それは、「コロナ対策」や「緊急経済対策」の反人民性を、わが同盟の機関紙『解放』やビラなど「紙の弾丸」で暴露したことによって、そして労働戦線、学生戦線でたたかう戦闘的労働者・学生の地道かつ創意工夫した勇猛果敢な闘いによって可能となったことはいうまでもない。まさにこの闘いによって、安倍は神経衰弱に陥りノックダウンし、またしても慶応病院に逃げこみ政権を放り出したのである。

この安倍の政権放り出しは同時に、たたかう労働者・学生が七年と数ヵ月のあいだ、安倍ネオ・ファシスト政権打倒をめざして、つねに既成指導部翼下の運動をのりこえて労働者人民の先頭でたたかってきたからだといえる。「集団的自衛権行使を容認する安保関連法制定反対」「辺野古新基地建設阻止」「秘密保護法反対」「共謀罪反対」「アベノミクス反対」「消費税税率引き上げ反対」そして「モリ・カケ・サクラ・カジノ疑獄弾劾」などの諸闘争において、わがたたかう学生は国会前で、首相官邸にたいして「安倍政権打倒」のスローガンを高だかと掲げて果敢にたたかってきたからである。

2　新型コロナパンデミックの特質について

新型コロナウイルスのパンデミックという画歴史的事態に直面したわれわれは、この危機的現在を突破していくという実践的立場に断固として立脚して、この問題の分析や指針をめぐる論議を深化していった。

安倍政権の感染対策の反人民性を暴露

安倍政権は、当初ダイヤモンドプリンセス号の乗客・乗員の感染に完全にたかをくくり「水際作戦」で大失敗を犯した。乗船した日本環境感染学会の専門医らの「早期の全員下船」方針を無視し蹴飛ばした官邸主導の感染症対策。それこそが、あのクルーズ船内の大量感染を生みだしたのだ。それだけではない。新型コロナは「感染症Ⅱ類分類」の取り扱いを要するとしながらも、政府はそれにふさわしい対策をただの一つも取らなかった。病状や不安を訴える人からの相談、検査や入院の指示、感染経路の調査や濃厚接触者の割り出しなどなどの対策のすべてを各自治体の保健所におしつけた。保健所は、歴代自民党政権によって数も半減され感染症対策を担うのはとうてい困難なものに変貌させられていたにもかかわらずだ。

ところで、東京オリンピックの延期決定以前は、ＰＣＲ検査を極力抑制し感染者数を小さく見せかけてきたのが安倍政権であった。この政権は、四月以降もＰＣＲ検査数が増えなかったことについて「人的目詰まり」などと保健所の労働者たちに責任を転嫁した。

われわれは病院で働く仲間や、保健所で働く仲間など、実際に現場で働く仲間たちから実態を教えてもらい集約しつつ安倍政権の対応の犯罪性をリアルに暴きだしてきた。厚生労働省から「三七・五度以上、四日間」などのでたらめな「相談基準」をおしつけられつつ、相談の電話対応や患者の割り振りで、かつてない長時間・超強度の労働を強いられた保健所労働者たち。政府が何の援助もせずに、防護服もマスクも不足するなかで、感染の危険にさらされながら発熱患者の検査をしたり、コロナ感染者の入院治療・看護にたずさわった医療労働者たち。PCR検査の人員も機械も不足する条件下で必死に検体検査にあたってきた検査センターの労働者たち。彼らの苦闘を共有しつつ、われわれは、「かたっぱしからPCR検査をやるべきだ」だの「自然免疫に任せればよい」だのとうそぶくマスコミやエセ専門家の主張のまやかしをも暴きだしてきたのである。そしてPCR検査数が増えないことも、病床数が逼迫してきたことも、その責任の一切は安倍政権にあることをわれわれは断固として暴きだしてきたのである。(『解放』紙上にも労働者同志の数々の論文が寄せられた。)

最末期の安倍は新型コロナ対策を「専門家会議」に丸投げしつつ愚策と悪行をくりかえした。海外からの帰国者の受け入れや検疫をめぐってジグザグし、「後手後手だ」と批判されるや「全国一斉休校」を要請し、批判がでるとすぐ解除と、これまたジグザグ。アベノマスクや対象を絞りに絞った「三〇万円給付計画」とその頓挫。そして安倍のバカが自宅でくつろぐ能天気な動画配信。これら側近が考えた安倍の「三ミス」はこの政権の反人民性を赤裸々にした。労働者人民の安倍への怒りが高まったのである。

われわれは、安倍政権による「生活補償なき緊急事態宣言」や「緊急経済対策」の反人民性を、それがすなわち〝棄民政策〟にほかならないことを暴露した。首を切られた労働者、自殺に追いこまれた人々、退学を余儀なくされた学生。彼らをまったく見捨てた安倍政権は、なんと新型コロナ対策に乗じて〝憲法に緊急事態条項を入れることが必要だ〟とことさらにおしだし、憲法改悪に弾みをつけようとした。われわれはネオ・ファシズム支配体制のさらなる強権的強化をはかるこの安倍の策謀を断固として打ち砕いたのである。

独占ブルジョアどもは「経済のデジタル化とリモ

ート化」の名のもとに、一握りのＩＴ人材とそれ以外の労働者とを選別し、とりわけ非正規雇用労働者を容赦なく切り捨ててきたのである。これをもわれわれは今日の階級分裂の縮図として満天下に暴露し、労働者階級が今こそ階級的に団結して反撃すべきことを呼びかけてきたのである。

＜ウイルス対人類＞なる俗説のまやかしを暴く

さらにわれわれは、マスコミなどが流す＜ウイルス対人類＞なる俗説のまやかしを断固として暴きだした。新型コロナパンデミックを、われわれは、たんに現代物質文明による自然環境の破壊や地球温暖化の側からだけでなく、ソ連スターリン主義崩壊以降の現代世界において生みだされた事態として、まさに搾取され虐げられ商品経済的物化のどん底で呻吟する労働者階級の立場に立って場所的に分析したのである。

末期資本主義の腐蝕ぶりはすさまじい。それは＜内＞に向けては情報・レジャー・サービス産業の肥大化としてあらわれ、＜外＞にたいしては「経済のグローバライゼイション」の破綻としてあらわれたのであった。米欧日帝国主義の行動は、同時に「ネオネオ植民地主義」と結びついており、崩壊した自称「社会主義国」を草刈り場としたのであった。スターリン主義ソ連邦の自己崩壊以降、世界支配を企んだ「一超」軍国主義帝国は「アメリカナイゼイション」すなわち「市場経済の全球的拡大」というかたちで世界支配をはかってきた。アメリカ独占資本は国境を越えて生産拠点を展開し、肌の色・眼の色を問わずに全世界の労働者人民の血を吸ったのであった。

他方で「経済のグローバル化」のなかで、アメリカに対抗し「二十一世紀の超大国」への雄飛をめざしたのが中国ネオ・スターリニスト国家であった。奴らは「社会主義市場経済」なるものを掲げて中国経済の資本主義化へ邁進し「一帯一路」構想にのっとって開発途上国を侵蝕していった。

こうした世界の分析にふまえてわれわれは＜二十一世紀現代のパンデミック＞をば、直接的には「ヒト・モノ・カネ・サービスの国境を越えた自由な移動」との関係で分析したのである。

パンデミックにより、いわゆる「実態経済」（マネーゲームとも呼ばれる金融経済の反対概念として、第一次および第二次産業からなる物質的生産の過程を示す術語。黒田寛一『実践と場所』第二巻七六頁などを参照）は凍りついた。安価な労働力を求めてグローバルに後進諸国に進出してきた多国籍企業が世界中に張りめぐらしてきたサプライチェーンが、感染爆発によって寸断され、それによって物質的生産が世界各地でストップしたのである。そして多くの企業が極限的なコスト削減に血まなことなったのであった。またグローバルな人の移動の制限による観光・宿泊・飲食・レジャー・イベントなどのサービス業や小売店などは需要が蒸発し、販売が激減したのだ。こうして全世界の労働者人民がパンデミックの犠牲にされ路頭に放り出されたのである。

「新型コロナウイルス出生の闇」をいち早く暴く

「新型コロナウイルスの出生の闇」をわれわれはいち早く突き出した。このウイルスは、中国・武漢の研究所から漏れだした可能性が高いことを暴露した。われわれはかねてからウイルス研究や遺伝子組み換え技術開発などが生物化学兵器開発とつながることを暴きだしてきたことにふまえて、アメリカ帝国主義を追い越し「社会主義現代化強国」という「中国の夢」を実現するというネオ・スターリニスト国家の国家戦略との関係で分析し、ウイルス兵器開発の可能性を暴きだしたのである。

米・中・露が核戦力をもって対峙している現代世界にあって、権力者にとってはこの既存の核兵器は容易には使えない兵器である。したがって彼らは小型核兵器開発とともにBC兵器開発に狂奔するであろうと、われわれは直観し推論したのである。

われわれは新型コロナパンデミックを契機とした世界の構造の一挙的激変を把握した。すなわち〈米中冷戦〉への突入を暴きだしたのである。その激変の能動的実体はいうまでもなく中国ネオ・スターリン主義だ、と。

「資本主義の限界」や「ポスト・コロナ社会」が囁かれるなかで、われわれは、末期資本主義の腐朽性の分析を基礎にして、労働者階級・人民の国際的に団結した力で帝国主義とネオ・スターリン主義を打倒し、まさに全世界の労働者人民こそが主人公となる社会、すなわち真実の人類共同体を創造する決意を新たにしたのである。それが労働者階級にとっての「ポスト・コロナ」である、と。

菅新政権のネオ・ファシズム性を暴露

わが革マル派はダッチロール化した安倍政権の政権投げ出しと、誕生した菅政権のネオ・ファシズム性をも暴きだしてきた。

安倍・岸田と二階・菅の抗争の発端は二〇一九年秋だ。あの頃の安倍は腹の内では、元号も変え、オリンピックをもみずからが実行し、歴史上名を残す首相になるんだ、と有頂天だった。調子に乗った安倍は、九月の第四次再改造内閣の人事に際してみずからがキングメーカーになりたいとの欲求がつのった。そこで、やがては首相の座を禅譲してやろうとしていた優等生の岸田文雄を自民党幹事長にしようと画策したのである。だが、幹事長の二階俊博と官房長官・菅義偉がこれにたいして逆襲に出た。

昨二〇年のコロナ対策においても「三〇万円限定付き給付」を提唱した岸田・安倍の方針は二階にひっくり返され、岸田は自民党の政治エリートどもによって「首相の器ではない」と烙印を押された。まさに安倍政権下で自民党をまとめてきたことを自負する二階は、内閣官房長官として安倍の不始末の尻拭い役をやらされてきた菅とつるんで岸田政権誕生を阻止し、菅を首相へと担ぎあげたのである。次期首相候補が育っていない各派閥の領袖は、菅をショートリリーフにするという条件でこれに応じた。かくして労働者人民の「反安倍」の声の高まりに揺さぶられていた安倍は「潰瘍性大腸炎による辞任」へと追いこまれたのである。

菅はタナボタ的に転がりこんだ首相の座をうちかためるための〝実績づくり〟に躍起となるであろうとわれわれは予測した。案の定、「東北出身の純朴な政治家」といった仮面をつけて登場した菅は、政権誕生直後から国家主義者でマキャベリストとしての本性をむきだしにして強権的支配にうって出た。

菅は「自助」「国に頼るな」などとファシズム・イデオロギーを鼓吹しながら労働者への犠牲転嫁に狂奔し、そして労働運動破壊や基地反対運動破壊のために暗躍した子飼いの公安警察官僚を使って〝恐怖政治〟を敷き、「デジタル庁創設」など強権的な人民監視体制づくりに躍起になっている。まさしく菅政権は、日本型ネオ・ファシズム支配体制の飛躍的強化に突進しているのである。

一九八〇年、史上初の衆参同日選での自民党の圧勝、いわゆる「五五年体制」の崩壊を結節点として日本型ネオ・ファシズム統治形態への本質的転換が画された。その「下支え」こそが労働運動の帝国主義的再編であり、それをすすめるために強行されたのが革命的左翼破壊のための、ブクロ派・青解派を追認役とした謀略的殺人襲撃であった。したがってこの権力の謀略こそ、日本型ネオ・ファシズム支配体制の確立にとっての地ならしとなったのだ。こうした血の教訓を心と身体に深く刻んでいるわれわれだからこそ、菅政権こそまさに日本型ネオ・ファシズムの強権性をむきだしにした政権だと直観したのだ。

そして、わが同盟は労働者階級・学生・人民に警鐘を乱打した。この成立した政権は、安倍政権下で官房長官としてＮＳＣ（国家安全保障会議）専制体制の中枢に座して内閣人事局を牛耳り、公安警察官僚を使って強権をほしいままにしてきたネオ・ファシスト菅の政権なのだ、と。仕掛けられるであろう日本型ネオ・ファシズム反動総攻撃に全組織をあげて構えよ、と。

Ⅱ　世界の地殻変動と菅日本型ネオ・ファシズム政権の登場

A　世界情勢の現在的特質

パンデミック下の階級分裂・階層分化の現前化

次にわれわれは、世界情勢の現在的特質について明らかにしなければならない。

まず第一に、今日の世界情勢の直接性についてである。

いまわれわれの於いてある世界は、歴史的にかつてない様相を呈している。

中国の武漢のウイルス研究所に発したと思われる新型コロナ・ウイルスは、ヒト・モノ・カネ・サービスが国境を越えて動きまわるいわゆる「グローバル経済」の波に乗ってまたたく間に世界に広がり、パンデミックとなった。二〇年十二月中旬の時点で世界の感染者は七〇〇〇万人を超えたとされているが、働きに出なければ生きていけない人、ＰＣＲ検査を受けたくても受けられない人、陽性になれば失業するがゆえに受けない人が世界中にいっぱいいる。だから実際の感染者の数は、カウントされている数の十倍以上ともいわれている。

そして、経済がいわば凍りついてしまったことに驚き慌てた世界の権力者たちは、最初、都市封鎖や人民への外出禁止の強制やサービス業の営業停止などをおこなった。こうして、今から九十年前の世界大恐慌と同様の・いやそれ以上の経済危機が現出したのである。

もちろん資本は、いわば労働者の生き血を吸うことなしには生き延びられない。このゆえに独占ブルジョアジーとその政府は、労働者階級・人民の犠牲のうえにこの資本主義を延命させることに躍起となった。たとえばアメリカのトランプやブラジルのボルソナロはきわめて露骨に、新型コロナ対策などはそっちのけで、「経済優先」をがなりたてたのである。ボルソナロなどは、感染者をバラックに収容して、ワクチン開発のための臨床試験用モルモットとして、外国の製薬会社にさしだしたのである。

世界の感染者の四分の一を占める欧州は、いま感染の第二波・第三波のまっただなかにある。各国の権力者は、外出規制・営業規制の強化と緩和をくりかえしている。そのたびに、特にパンデミックのもとでエッセンシャル・ワーカーと呼ばれるようになった運輸や介護などの仕事に携わる人々――移民や外国人労働者、旧東欧諸国からドイツなどに出稼ぎに出ている労働者たち――のあいだで感染が広がり、しかも彼らは容赦なく解雇されているのである。

こうして全世界で、労働者たちは路頭に放り出されている。十九世紀には〈好況―恐慌―不況〉という約十年周期の景気循環によって、労働者は無権利状態のまま路頭に投げ出されたのだが、これと同様の事態がいま眼前にあらわれているのである。

他方、富める者すなわち資本家どもは、このパンデミックのもとで、ますますその富を蓄えた。日本でもアメリカでも深刻な経済危機にもかかわらず異常な株高となっている。日本では日銀が約五割の上場企業の筆頭・大株主になるにいたっている。この異常な株高は、各国中央銀行がいわゆる緩和マネーをたれ流したことのゆえの金余りのなかで、大企業も富裕層すなわちブルジョアどももも、マネーゲームにうち興じているからにほかならない。

こうしていまや、同志黒田言うところの「古典的階級分裂」「古典的貧困」が、現前化している。しかも独占ブルジョアどもは、「経済・社会のデジタル化」をすすめるために、一部の「IT人材」と大多数の「使い捨て自由」な労働者とへの労働者の階層分化を、むしろ意識的におしすすめようとしているのだ。そしてこのゆえにまたみずからの支配体制の一層の強権化をすすめてもいるのだ。世界の各国でいわゆる「独裁者」が雨後の竹の子のように生みだされているゆえんである。われわれの階級的怒りは、いやがうえにも高まらざるをえないではないか。

アメリカ大統領選挙の意味するもの

第二には、アメリカ大統領選挙の意味するものは何か、ということについてである。二つの世界大戦の勝者として・そして米ソ角逐時代の西側陣営の盟主として、「自由と民主主義」の旗手づらをしてきたアメリカ帝国主義。そしてソ連邦の世紀の崩落以降は、アメリカン・スタンダードを世界におしつけ、横暴の限りを尽くしてきた「一超」軍国主義帝国アメリカ。だがこのアメリカは、わが黒田が喝破したように、かの二〇〇一年9・11のジハード自爆攻撃を転回点として一挙に没落への道を歩みはじめた。今回の大統領選は、この没落帝国主義の内部におけるすさまじい社会的経済的荒廃をむきだしにしたといってよい。

トランプ支持者とバイデン支持者とがそれぞれ武装して対峙し相手の支持者を威嚇するという異常事態。低所得のマイノリティが多く住む地域では、彼らに投票させないために、共和党の州知事らによって、四十もの州で投票箱が減らされたという事実。極端な例でいえば、たとえば共和党員が知事をつとめるテキサス州では、コロナ感染拡大のもとで郵便投票が増えることを阻止するために、投票日の一ヵ月前になって一郡につき郵便箱は一つ（ちなみに人口約五〇〇万人につき一つだそうである）とされたのであった。

そしてトランプは、依然として敗北宣言を発していない。それはバイデンによってトランプのこの四年間の政策を全否定されてしまうこと、場合によっては脱税などの訴追によって、「歴史上最悪の大統領」にされることを恐れているからなのである。「不正選挙だ。本当の勝者は私だ」と叫びトランプ支持運動を誇示することによって、今年一月五日のジョージア州上院選挙での決選投票で勝利し、上院の多数を占めることを狙うと同時に、バイデンの手を縛ろうとしているのが、トランプなのだ。

こうして今日のアメリカは、選挙をつうじての平和的な権力移行という――それじたいはブルジョアジー独裁を覆いかくす虚構でしかないのであるが、――この虚構さえ揺らいでいることを世界にさらした。このゆえにいま、中国の習近平もロシアのプーチンも、「民主主義や三権分立など時代に合わないことが証明された」とあざ笑い、共産党専制支配体制やＦＳＢ強権型体制の優位を誇っているのだ。

ところで今回の大統領選におけるバイデン・トランプ両陣営の対立をあえて単純化するならば、次のようにいえる。

一つ目は、経済政策優先か（トランプ）、コロナ対策優先か（バイデン）である。世論調査によれば、経済政策をめぐってはトランプ支持が圧倒的であったという。アメリカは感染者数も死者数も世界でダントツであり医療保険などの社会保障制度の脆弱性も露呈してしまった。このことのゆえに、バイデンは辛うじて勝利したにすぎないともいえるのである。

二つ目には、アメリカ社会の構造的変化のなかで、落ちぶれてゆくアメリカの威信、その〝回復〟を、何に求めたかである。世論調査によれば「アメリカ人民が痛苦にも階級的自覚をもっていないアメリカ人であることが誇りである」という人民は、全体で四二%にすぎず、今世紀初頭に大学生になった世代以降のいわゆる「ミレニアル世代(一九八一年~一九九六年に生まれた世代)」やこれにつづく「Z世代(一九九〇年代後半もしくは二〇〇〇年から二〇一〇年の間に生まれた世代)」ではわずかに二〇%にすぎないという。

こうしたなかで、一九五〇~六〇年代のような・あるいはベトナム戦争以前のような、古き良き時代への回帰を望む主に「プア・ホワイト」と呼ばれる人々は「メイク・アメリカ・グレイト・アゲイン」を絶叫するトランプを支持した。――もっとも、四年前にはトランプを支持したラストベルトの労働者たちは、トランプに幻滅し大半が離反したのであるが。このことは、アメリカが世界にグローバライゼイション=アメリカナイゼイションをおしつけるなかで、GAFAなどのICT企業が巨大化する反面、アメリカ国内の製造業が空洞化してしまったことの現れといえる。

他方、もはや少数とはいえない黒人やヒスパニックなどのいわゆる「マイノリティ」はバイデンを支持した。またアメリカの歴史上で最も多様化した世代であるいわゆる「Z世代」の若者たちは黒人も白人も、アメリカ社会に深く埋めこまれた人種差別に抗議するブラック・ライブズ・マター運動の中心的参加者となった。(彼らはこのかん、ジョージア州やアリゾナ州などに移住しつづけており、これが南部におけるバイデンの勝利を生んだという。)彼らは、資本主義による経済格差に不満を募らせ、より公平な社会を実現するために、サンダース的な「民主社会主義」的政策を支持する世代でもある。銃規制や気候変動などにかんする社会運動にも積極的に関与している。国際面では、彼らは、アメリカは単独で行動するのではなく、多国間枠組みに関与し他国と協調してリベラルな国際秩序を築くことを主張している。これがアメリカ社会の分断と言われるものの内実なのである。

三つ目には、本二〇二一年に誕生するバイデン政権は、いかなる対内・対外政策をうちだすかということである。国内的には、トランプが経済成長最優先であったのにたいして、バイデンは、新型コロナ対策、気候変動への対応、いわゆる格差問題への対応を同時にすすめることを謳っている。そしてトランプが、減税と規制緩和によって企業にいわば「自由な活動」を保障し経済成長を果たそうとしたのにたいして、バイデンは、いわば「大きな政府」に戻ろうとしている。バイデンは感染対策にとりくむとともに、気候変動問題ではパリ協定に復帰し、二〇五〇年までに温室効果ガスをゼロにすることを謳いつつ排ガス規制を強化したり、クリーンエネルギーへの転換をすすめようとしたりしている。また巨額のインフラ投資をおこなうとしている。そして「格差是正」と称して富裕層に増税を課すというのであるが、それは年収四〇万ドル以上、日本円にして四二〇〇〇万円以上を対象にするものにすぎない。要するにバイデンとは、伝統的なアメリカ金融独占資本グループ、東部エスタブリッシュメントの代弁者なのだ。

外交政策の面では、バイデン新政権は、トランプのような「貿易不均衡の是正」を掲げ同盟国にも制裁関税をかざして市場開放を迫るといった国家エゴイズム丸出しのやり方は修正し、同盟国との関係重視に舵を切るであろう。けれどもそれは、中国の対米挑戦がますます強化されているからであって、「アメリカの利益第一主義」が変わるわけではない。ただ沈むアメリカの国益のために国際的協力を利用しようとするにすぎないのだ。バイデン政権は、むしろ政治的・軍事的には、「膨張中国」にたいする強硬な対抗にうって出るにちがいないのだ。

トランプがこの四年間、アメリカに君臨したことは、一時のエピソードでは決してない。それは没落帝国主義のアガキの表現だったのである。そのもとで深まったアメリカ社会の分断もまたそうなのである。

アメリカ労働者人民は今こそ大国アメリカのナショナリズム、USAナショナリズムからみずからを解放し、階級的自覚に目覚め階級的に団結し、「万国の労働者は団結せよ」の旗のもとに歩みださねばならない。それこそが荒廃したアメリカの危機を超克する唯一の道なのだ。

対米激突に備えたネオ・スターリン主義中国の現在

第三には、ネオ・スターリン主義中国が、現下のコロナ危機をむしろチャンスとみなして、建国一〇〇年の二〇四九年までに「社会主義現代化強国」の実現を果たし「人類運命共同体」のリーダーとなるというみずからの世界制覇戦略の実現に向けて、その歩みを一挙に加速しだしたことについてである。

習近平の中国は、武漢を襲った新型コロナウイルスを最初のうちは隠蔽し、告発した医師を抹殺した。そしてこれがばれるや一転して、今度は医師を英雄としてたたえるとともに、すでに解読し終えていたウイルスのRNAにかんする情報をWHO（世界保健機関）に伝えた。彼らは、死因をコロナから他の病名につけ替えるなどして死者の数をごまかした。武漢周辺の八つの遺体焼却所が昼夜フル稼働していたことや、遺骨を受け取る長蛇の列などから、それは明らかである。そして武漢を約八十日にわたってネズミ一匹入れないように完全封鎖した。まさにネオ・スターリニストならではのやり方をもって、新型コロナを封じこめたのである。

武漢の感染を抑えこむや否や習指導部は、パンデミックの救世主のようにふるまいはじめた。マスクや防護服や医療衛生用品や人工呼吸器などの医療関連物資を、またテレワークの広がりにともないパソコンなどの電子機器などを、国家をあげて生産し、これらの中国製品を世界各国に輸出した。このいわゆる「マスク外交」は、アメリカがコロナ禍でのたうち回っているのを横目で見ながら、七年前からうちだしてきた「一帯一路」という名の経済圏づくりをさらにおしすすめることを狙ったものであった。

こうして中国は、ヒト・モノ・カネ・サービスの国境を越えての流れが寸断されるなかにあっても、わずかばかり輸出を伸ばしてきたのである。

最近のIMFによる「二〇二〇年の成長率見通し」によれば、アメリカがマイナス四・三％、ドイツがマイナス六・〇％、日本がマイナス五・三％にたいし、中国はプラス一・九％とされる。これは、習政権が、総額八兆二〇〇〇億元、日本円で一二〇兆円を超える大がかりな資金を、従来型のインフラ事業と次世代通信網の整備などに投入し、景気の回復を主導したからとされる。だが現在の中国には、かつてのリーマン・ショックのさいに西部大開発によって世界同時不況のブルジョア的のりきりに一役買ったときのような力はまったくない。

中国の経済は表向きは、世界の主要国のなかでただ一人プラス成長とされている。だが、実態はどうか？　失業率は五・四％(二〇年九月)と発表されている。しかし、この数字には農民工という出稼ぎ労働者は含まれていない。農民工のそれを入れれば、現在の中国の失業率は二〇％に近い。また、いわゆる中間所得層の多くが、購入したマイホームの住宅ローンを払えなくなっているという。いま中国では消費が完全に冷えこみ、節約ムード一色に染まっているという。昨二〇年五月の全人代で李克強が「これから厳しい生活を覚悟しなければならない」と強調したゆえんである。

中国共産党習指導部は、昨二〇年十月二十六日から、五中全会(第十九期中央委員会第五次全体会議)を開催し、二〇三五年までの長期目標を掲げた。そこでは、①一人当たりGDPを中等先進国並みに高めること、②コア技術で重大なブレイクスルー(突破)を果たしイノベーション国家の先頭に並ぶこと――といった目標が掲げられた。そしてそのために、③「双循環」と称して、国内経済発展を「大循環」とし、これを基礎に海外からの資本・技術の導入という「国際循環」とを連結させて安定成長をはかる、という指針をうちだした。

習近平がこうした「双循環」をうちだしたのは、「世界の工場」として、安価な労働力をさしだしつつ外国から資本と技術を導入し中国製品を輸出する、という従来の経済発展の前提が崩れつつあるからにほかならない。

二十一世紀の半ばまでに帝国主義を凌駕するために、あくまでも共産党の専制支配を堅持しながら「資本主義を恐れることなく利用せよ」という鄧小平の遺言にのっとって、遅れた自国の経済発展をはかってきたのが、中国のネオ・スターリニストであった。同志黒田が言うように、中国は依然として「社会主義市場経済」などという「絶対矛盾的自己同一」のようなスローガンに示される鄧小平が敷いたレールの上を走っている。「中国は長いタームで戦略を考える」(同志黒田)のであって、この中国のスターリン主義者がソ連邦の崩落を横目で見、これを教訓化してうちだした路線が、「中国の特色ある社会主義をめざす」という戦略なのである。まさにこのゆえに生前の同志黒田は、中国を「ネオ・スターリン主義国家」とも『開明的』スターリン主義国家」とも規定していたのである。

こうした路線にのっとって、「現代化」中国は今世紀以降、「二超」大国アメリカを猛烈にキャッチアップしてきた。この中国の台頭によって世界は、同志黒田が二〇〇四年に予言したように、「米中対立の時代」へと推転し、〈米中冷戦〉への突入が必然化した。そして新型コロナパンデミックが発生し、さらには〝中国はいわゆる開発途上国を「債務の罠」にはめることによってみずからの対外膨張主義の餌食にしている〟という非難がまきおこり、「一帯一路」構想はいまや暗礁に乗りあげつつある。まさにこうしたことによって、中国官僚はいまや、輸出に依存する経済からいわゆる内需主導へと転換せざるをえなくなってきているのだ。

デジタル技術などでは世界の最先端をいくとはいえ半導体などでは世界の最先端から幾世代も遅れているといわれており、このゆえに彼ら官僚どもは、新技術を外国に依存せずにみずからの力で生みだすことに躍起とならざるをえないのだ。

まさにこうした経済的危機をのりきるために、そしてますます熾烈化するアメリカとの対決に備えるために、いま、習指導部は、「共産党に感謝しそのもとに団結しよう」という〝攻撃的愛国主義〟をしきりと煽りたてている。彼らは、朝鮮戦争をはじめとする中国人民の抗米闘争の歴史を宣伝し、「米国の不敗の神話をうち破った」と煽りたて、準戦時体制さながらの異様なムードをつくりだしているのだ。「国家安全維持法」を制定し民主派を徹底的に弾圧して、「一国二制度」を換骨奪胎し、「香港の中国化」を力ずくですすめたこと。新疆ウイグル自治区やチベット自治区や内モンゴル自治区において、漢民族への同化政策を露骨におしすすめていること。さらに、アメリカからの食料の輸入が断たれるかもしれないことに備えて、山間に住む少数民族を丸ごと仮設住宅のような団地に移住させ、農業生産に従事させていること。――これらのすべてが、いつ火を噴くかもしれない米中激突への備えなのである。

＜米中冷戦＞下で高まる戦争的危機

第四には、こうして二〇〇四年ころから次第に激化の一途をたどってきた米中対決は、いまや＜米中冷戦＞というべき様相を呈し、東アジアや中東やバルカン半島などでいつ火を噴くかもしれない戦争的危機を醸成しているということである。

東アジアでは、まず台湾をめぐっては、中国政府による香港の民主派弾圧を目の当たりにした蔡英文政権がますますアメリカに接近し、アメリカはこの台湾に武器を売却している。これにたいして中国は、台湾周辺での軍事的威嚇行動を頻繁にくりかえしている。また尖閣諸島をめぐっては、中国の艦船が連日にわたって「領海侵犯」をくりかえし、日本の漁船を追いかけ回している。そして彼らは、「日本の偽装した漁船が中国の領土である釣魚島を侵犯している」(李克強)などと、逆に日本を攻撃しているのだ。

また南シナ海はいま、文字どおり一触即発の状況となっている。中国は、二〇一二年に設置していた行政区である海南省三沙市のもとに、二〇年四月、さらに西沙区と南沙区という新たな行政区を設置すると発表した。そして、九月には、「南シナ海は俺のモノだ」といわんばかりに、東シナ海・黄海・渤海とともにこの南シナ海で、大規模な軍事演習をおこなった。

これにたいしてアメリカは「航行の自由作戦」なるものを頻繁に強行している。「世界は中国が南シナ海をみずからの海洋帝国として扱うのを認めない」(米国務長官ポンペオ)と叫び、米空母二隻を派遣したり、米海軍と海上自衛隊との合同軍事訓練を実施したりしているのだ。

アメリカはいま、対中国の包囲網づくりに躍起となっている。このかんトランプその人は、対外政策については、自身の成果に直結すること以外のことについては大きな関心を寄せなかったのだが、アメリカ国家としては対中包囲網の形成に狂奔してきた。この策動はバイデン新政権になればますます強化されるにちがいない。ともあれ、昨年十月初めに日本で日米豪印外相会議が開かれ、そこで「自由で開かれたインド太平洋」が強調されたことにそれは示されている（ちなみに十一月十四日の日中韓＋ASEAN首脳会議では菅は中国を意識して「平和で繁栄したインド太平洋」構想と言い換えた）。また昨年十一月にRCEP（地域包括的経済連携）協定が結ばれた。人口でみてもGDPでみても世界の約三割がこれに参加した。（「竜象共舞」の前宣伝にもかかわらず、人口一三億人のインドは参加を見送った。それは、安い中国製品がインドに入ってくるならばインドの国内産業が大打撃を受けるからでありインド国内で反対運動が起こったからである。）

このEPA＝経済連携協定締結で、参加十五ヵ国全体の関税撤廃率は九〇％。日本は、日本にとって最大の貿易相手国である中国、および三番目の貿易相手国である韓国と、初めてのEPAを結んだ。日本や中国の権力者どもは、「多国間主義と自由貿易の勝利」などと吹聴している。だがそれは、米中対立の深まりとパンデミックによる「グローバル経済」の寸断に挟撃されて、彼らがなんとか生き延びるための方途を必死に探し求めていることを示すものでしかない。

日本の権力者どもは、日米安保攻守同盟という鎖に縛られているがゆえに、政治的・軍事的にはアメリカに追従せざるをえず、しかし経済的には中国やアジアの諸国との関係を深め、その相対的になお安い労働力を食い物にして日本独占資本の延命をはからざるをえない。他方、中国にとっては、アメリカからの先端技術の流入が閉ざされつつあるがゆえに、日本の技術を移植しかつその資本の導入をはかることに血道をあげざるをえないのだ。RCEP協定締結とは、米中激突の裏面でしかないのだ。

また西に眼を転じれば、いま中東では大きな地殻変動が生じている。このかん、バーレーンとＵＡＥ（アラブ首長国連邦）とスーダンがあいついで、イスラエルとの国交樹立をはかり、パレスチナを見捨てつつある。

こうした事態はなぜ生じたのか。〈一つ〉には、かの軍国主義帝国アメリカによるイラクへの残虐無比な侵略戦争とその敗北のなかで、シーア派宗教国家イランの影響力が一挙に拡大したことである。イランの権力者は、アメリカの制裁下で苦しむイラン人民の反政府闘争を力で抑えこみながら、外に向かっては「シーア派革命の輸出」に血眼となってきた。こうして中東の各地に、イランを後ろ盾とするシーア派武装勢力が、次々に生まれた。まさにこうしたシーア派の伸長に湾岸諸国の権力者は対抗しなければならなくなったのである。

そして〈二つ〉には、世界が「脱炭素社会」をめざしているなかで、石油の需要は今後大きく落ちこんでいくこと。それゆえに、産油諸国も次世代エネルギーの開発（たとえば天然ガスから二酸化炭素を出さないアンモニアを作る、といったそれ）にのりださざるをえないこと。そしてそのためには、ハイテク国家イスラエルの技術を取りこむ必要があること、である。

オバマ政権が煽り仕掛けた「アラブの春」で中東産油諸国は弱体化してしまった。くわえてアメリカのシェール石油開発や地球温暖化対策による石油需要の落ち込みなどで、原油安が襲い、産油諸国の国内経済は低迷し、失業率は一五％にまで上昇してしまった（若者の失業率は三〇％にのぼる）。まさにこうしたことのゆえに、湾岸産油諸国は、いまやイスラエルとの国交樹立に次々に踏みきりつつあるのだ（アラブの盟主を自任するサウジアラビアは今のところ様子見である）。

トランプ政権はこのかん、イランにたいしては「核合意」を一方的に破棄してこれを締めあげ、またイスラエルにたいしてはエルサレムをイスラエルの首都と認定したりパレスチナ人居住地へのユダヤ人の入植を認めたり、またシリアのゴラン高原をイスラエルの領土と認め、国務長官ポンペオを入植地に送りこんだりしてきた。だがこうしたトランプの横暴にたいして、中・露の権力者は、イランの後ろ盾となって対抗している。イスラエルによるイランの核科学者の暗殺に復讐を宣言するイラン権力者、そして米核空母ニミッツの中東派遣。――こうして中東は、米―中・露の代理戦争の様相をいよいよ色濃くしつつ戦乱勃発の危機を日々深めているのだ。

こうした世界の構造変化は、あたかも米中二つの巨大大陸が正面衝突し、その衝撃で各地に大きな地殻変動が生みだされているという図に似ている。そしてこのゆえに米・中の両権力者どもは、自国経済の破綻にあえぎあえぎしながらも、一切の犠牲を労働者人民に転嫁しつつ、かつあらゆる反抗を強権的に抑えこみつつ、相互対抗的に、核戦力の強化競争やBC兵器の開発競争に突進しているのだ。いまや米―中・露の権力者どもは、ミサイル防衛システムとそれを突破するための極超音速兵器の開発配備に狂奔しているだけではない。彼ら権力者どもの核戦力強化競争は、いまや陸・海・空だけでなく、宇宙空間をも・またサイバー空間をも戦場にしているのである。

それゆえに、全世界の労働者人民は、熱核戦争の勃発の危機をも直覚し、戦争と貧困の強制と圧政を打ち砕くために、今こそ国際的に団結してたちあがるのでなければならない。

B　日本型ネオ・ファシズム支配体制の一挙的強化

菅政権によって日本型ネオ・ファシズム支配体制の強化の攻撃が吹き荒れている。

（1）新型コロナの感染は今このときにも拡大しつづけている。いわゆる「コロナ解雇」は政府の発表でさえも七・五万人を超えた。資本家どもは、昨春以来、これを十数倍上回る夥しい数の労働者を解雇・雇い止めにして路頭に放り出した。しかも年末には、三一万社という膨大な数の中小企業が倒産・廃業しかねない、と言われている。大手の七十社をはじめとして、独占資本家どもは、正規雇用労働者にたいして「退職募集」という手口を駆使して解雇攻撃をかけようとしている。

経団連会長の中西宏明は、「生産性の低い企業を雇用調整助成金で支援することは日本全体の生産性の足を引っ張るから止めるべきだ」などとほざいている。多くの企業が倒産・廃業の危機にあえいでいるまさにこのときに、菅のブレーンが主張する〝生産性の低い中小企業は淘汰せよ。生産性の高い企業に吸収合併せよ〟といった提言にもとづいて、中小企業の選別・淘汰にのりだしたのが、菅政権なのだ。それによって、どれだけの労働者が路頭に放り出されるかわかっているのか！

十二月十五日に閣議決定された「第三次補正予算案」の軸は「コロナ後に成長するための環境投資」であり、「経済のデジタル化」推進のための投資計画が中心をなしていた。それは医療崩壊をくいとめるための予算でもなく、危機にたつ中小企業を救済するための予算でもなく、いわんや失業と貧窮に突き落とされている労働者人民の生活を支援するためのそれではない。労働者が突然職場を首にされ困窮にたたきこまれているときに、〝まず自分で努力しろ、国家に頼るな〟などと叫ぶのは、まさに棄民政策そのものではないか。菅がふりまく「自助・共助」のイデオロギーこそは、弱肉強食・優勝劣敗の社会ダーウィニズムであり、それは本性むきだしのファシズム的優生思想にほかならない。

（2）菅の問題関心は、あくまでも業績悪化に直面している大企業の救済・支援であり、東京オリンピックの実現であり、潰えさった「観光立国」構想の再度の実現である。そして何よりも二〇二一年の衆議院選挙で勝利して長期政権の座を確保することなのだ。奴には、年末年始に寒空の下で住居も食べる物もなく苦悩する大量の労働者人民など、眼中にあろうはずがない。

菅が怖れているのは、新型コロナパンデミックの広がりのなかで、みずからの政権にたいする労働者人民の不信・不満が充満し、それが〝階級的怒り〟へと高まることだ。それを回避するためにこそ、菅は官房長官時代の反対運動弾圧の経験を活かしつつ、公安警察官僚を手兵とした治安対策の強化に狂奔しているのだ。そこには、〈パンデミック恐慌〉という末期資本主義の危機をのりきるためには、プロレタリアの闘いと組織の一切の芽を摘まねばならないという、ブルジョアジーの階級的目的が貫かれている。

菅が最も心酔している思想家はイタリアのマキャベリだという。目的のためには手段を選ばない権謀術数を是とするマキャベリの思想を崇拝していたのが、かのムッソリーニであった。われわれはレオン・トロツキーの次の言葉をも想起しよう。「ファシズムの本質的かつ唯一の機能はプロレタリア民主主義のすべての機関をその根底まで破壊することにある。」(『次は何か?』)

(3) 世界的な〈パンデミック恐慌〉と新たな様相で推転する〈米中冷戦〉——このまったただなかで、菅政権は、日本を〝アメリカとともに戦争をやれる国〟へと飛躍させるために、日本型ネオ・ファシズム統治形態を一段と強化しようとしている。

この政権は〈外〉に向かっては、ネオ・スターリン主義国家=習近平中国に対抗して、バイデンのアメリカの同盟国にふさわしく対中の攻守同盟としての日米同盟を強化しようとしている。この同盟関係を基礎にして、尖閣諸島や南シナ海そして台湾海峡において軍事訓練などをくりかえす中国軍と対抗するために、日本国軍が米軍とともに「敵基地」への先制攻撃をなしうる体制の確立に突き進んでいる。それればかりか経済的には最大の貿易相手国・習近平の中国を意識して、日中韓三ヵ国とASEANとの首脳会議(二〇年十一月十四日)では「自由で開かれたインド太平洋」構想の名称を「平和で繁栄したインド太平洋」などと言い換え、この構想にのっとって、インド太平洋地域の諸国家との関係を強化し、この地域における日本国家の独自の権益を、中国に対抗しつつ拡大することを狙っているのである。

ところでそのばあいに、こんにち中国やロシアからのサイバー攻撃が、セキュリティが脆弱といわれている日本の行政機関や企業を標的にして頻繁にかけられている。このことを軍事上も経済安保上も〝由々しき問題〟ととらえているのが、菅政権なのだ。それゆえにこの政権は、このネットワークの脆弱性を克服するための高度な〈デジタルセキュリティーシステム〉を官民横断で確立することを急いでいる。それは、〈米中激突〉のもとで日米新軍事同盟＝対中国攻守同盟を強化し先制攻撃能力を持つ国家として飛躍するためにも不可欠なのだ。

菅政権は、〈内〉に向かっては、ＮＳＣ専制の強権的＝軍事的支配体制を現在的に再編・強化しようとしている。その現在的環が、デジタル技術を駆使しての国民総監視＝総管理システムの飛躍的強化の策動にほかならない。彼らは、感染拡大を抑えこんだ韓国や台湾のようなデジタル監視システムを横目で見ながら、これまで形成してきた日本型ネオ・ファシズム統治形態を〝デジタル時代にふさわしいもの〟として強化しようとしている。そのシンボルが「危機に迅速に対応する強靱なデジタルガバメント」をつくると称する「行政のデジタル化」であり、菅政権は、それを首相直轄で上から指揮し遂行するための機関として「デジタル庁」を新設しようとしている。

この「デジタル庁」の統括のもとに、警察などの暴力装置を含めてすべての国家諸機関が保有するデータをデジタル化し同一の〈トータルネットワークシステム〉で統合して統一的に管理しようとしている。国家機関だけではない。都道府県や市町村など各地方自治体などが集積し保有している住民などの情報をも一元的に統合管理するとともに、全国民に「マイナンバーカード」の取得を義務づけることを手段として、国民一人ひとりの生活・思想の全般を監視し管理するデジタル版の「国民総背番号制度」を確立しようとしているのである。

（4）菅政権は同時に、「経済・産業のデジタル化」なるものを官民共同で推進することに躍起となっている。独占ブルジョアジーの総本山である経団連、その会長の中西は、新型コロナパンデミックのただなかで、「新しい成長戦略」なしには「資本主義に未来はない」「大転換期だ」と叫び、「デジタル化の加速」を唱えている。このような独占資本家どもの要請に応えて、この政権は、世界的にたち遅れ国際競争力を喪失しているＩＣＴ（情報通信技術）分野の技術を開発し、先端デジタル技術を活用した新商品の開発や新たな産業分野を創出するために莫大な国家資金を投じている。政府に支援された独占資本家どもは、「生産性向上」のためと称して直接的生産過程や流通機構、そして業務過程にＡＩ（人工知能）やＩｏＴ（モノのインターネット）、ブロックチェーンなどのデジタル技術を導入しつつある。かかるデジタル化・技術化の推進をつうじて多くの労働者を職場から放り出し、残った技術・技能労働者にはこれまで以上の労働強化を強制しようとしているのだ。

（5）菅政権はいま、日本型ネオ・ファシズム体制の〈鉄の六角錐〉をさらに一段と強化しようとしている。日本学術会議を、任命権と予算配分を悪用して軍事研究の旗をふる戦争翼賛団体へとつくりかえようとする攻撃が、それである。またすでに、国家のもとへ労働者人民を「国民」として統合するための虚偽イデオロギーをたれ流す先兵と化してきたマスコミ、そのなかにあってなお政府にたいして批判的な報道をおこなう部分にたいする狙い撃ち的な攻撃を、彼らはおこなっている。放送法の改定をも脅しの道具に使いながら、である。

まさに菅政権こそは、新型コロナパンデミックと経済的破局が相乗した現代日本帝国主義の断末魔という条件のもとで、日本型ネオ・ファシズム統治形態――すでに一九八〇年に確立したそれ――の・その強権性を如実に露わにしたところのむきだしのネオ・ファシスト政権にほかならない。われわれは、ＮＳＣ専制の強権的＝軍事的支配体制を抜本的に強化する策動を断固として粉砕するのでなければならない。労働運動などの一切のプロレタリアの運動とその組織の破壊を断じて許さず、日本型ネオ・ファシスト政権による反動攻撃を打ち砕く隊列を今こそ強化しなければならない。

Ⅲ　反スターリン主義運動の巨大な前進を切り拓け

A　既成反対運動指導部の市民主義的・議会主義的腐敗をのりこえ闘おう

野党連合政権パラノイアに陥った日共中央を許すな！

立憲民主党の党首・枝野幸男に「志位さんのピアノの伴奏で『君が代』を歌いたい」などと言われて嬉しそうにはしゃいでいるのが馬鹿者委員長・志位である。日共中央官僚は、昨二〇二〇年十月六日の党幹部会において「次の総選挙で政権交代を実現し野党連合政権を樹立する」ことを最大の「目標」として掲げた。小沢一郎から「オール野党で政権をとる」「数年先ではだめだ、いまやるのだ」と指南されて政権与党入りの願望と期待を胸いっぱいにふくらませた不破＝志位指導部は、日共が政権の一角に加わる「政権構想」への合意を最大野党・立憲民主党からひきだすために、立民・枝野執行部への媚売りにいそしんでいる。首相指名選挙（二〇年九月臨時国会）では日共の全議員に枝野へ票を投じさせたのであった。

不破＝志位指導部はいま、「野党連合政権の樹立の可能性をきりひらくには、党勢を前進させることがどうしても必要」と叫びたて、下部党員たちを党員拡大と票田開拓にとことん引き回している。党官僚が「党勢拡大」の号令を必死になってかけているのには訳がある。日共組織が党的存続もままならない危機に陥っているからなのだ。第二十八回党大会（二〇年一月）で「いまこそ後退から前進へ」「党創立一〇〇周年（二二年七月）までに今大会比三割増しの党勢を」という方針をうちだしたものの、大会後の四ヵ月間に約三〇〇〇人が離党、その後も「党員現勢での後退」が止められない始末なのだ。彼らはこう嘆いている――「これ以上根幹が細り続けるならば党の未来はありません」と。

代々木官僚は、新型コロナ感染拡大下で「党勢拡大を事実上抑制してきた」のがまずかった、などと総括している。だが、いくら中央官僚どもが「惰性をふっきって党員拡大の前進のうねりを」などと発破をかけようとも、窮余の一策として「次の総選挙での政権奪取」＝「歴史的挑戦」なるものをシンボルとして「党勢拡大」に下部党員を動員しようとしても、党勢はいっこうに前進に転じてはいない。日共党員たち自身が——代々木官僚の腐敗を暴露するわが同盟のイデオロギー闘争に揺さぶられて——不破＝志位指導下の日共党組織への思想的確信を喪失しているからなのだ。

新型コロナ感染拡大下で政府の「コロナ対策」の尻押しにいそしみ、「私たちは安倍政権打倒とは言いません」などと公言してきたのはいったい誰だ！「緊急事態宣言」下で「安倍政権打倒！」を掲げて首相官邸前闘争に決起したわが全学連を先頭とした革命的左翼の戦闘的な闘いに多くの日共党員たちが刮目し、闘争放棄を決めこんだ党中央への反発を強めたのは当然ではないか。

労働組合は「『市民と野党の共闘』を支える『敷布団中の敷布団』たれ」などと「全労連」大会で号令したのが志位だ。この言辞に如実に示されているように、代々木官僚は、労働組合運動を市民運動の支援と「野党共闘」の尻押し・選挙での集票をこととするものへと変質させ、しかも多くの労働者党員からの批判を官僚主義的に封じてきた。こうした代々木官僚の反労働者的所業にたいして、「全労連」傘下の良心的労組員たちは怒り心頭に発しているのだ。

右のように、不破＝志位指導部が日共党員の労働者性を完全にスポイルしていること。そして政府・独占ブルジョアジーにたいする労働者人民の闘いを市民主義的で議会主義的に歪曲する脱色スターリニスト党官僚の腐敗とその路線的根拠を暴露するわが同盟のイデオロギー闘争が日共党内に浸透し、良心的な日共下部党員たちが代々木官僚に反逆していること。これこそが、日共党組織の危機の根源なのである。

ところで、立憲民主党から「政権構想」での合意をひきだすために、代々木官僚は立民との「政策的一致」をつくると称して、日共の基本的代案の超右翼的緻密化をはかっている。とりわけ、「安保・自衛隊問題での不安を払拭する」ために「もうひと山を腹をくくって越えろ」と立民執行部から決断を迫られた委員長・志位は、「山登りでいえばアタックだ」などと口走った。この言辞こそ、立憲民主党が綱領で掲げている「健全な日米同盟を軸にした安保・外交政策」を、「野党連合政権」がとるべき政策としては丸ごと呑むことの宣言にほかならない。

「尖閣の問題」などで「日本が有事という事態になった場合は、安保条約第五条で対応する」、すなわち米軍の出動を求める、などと平和運動の指導部を任ずる者が積極的に主張するとは、いったい何事か！　日米の対中国攻守同盟を飛躍的に強化する攻撃に実質上棹さす犯罪いがいの何ものでもない。時あたかも米中激突下で、日米新軍事同盟の鎖で締めあげられている菅政権がアメリカ帝国主義権力者につき従って対中国・対北朝鮮の軍事包囲網の形成に突進し、日米共同の先制攻撃体制を構築しようとしている。尖閣諸島をめぐって日本（・アメリカ）と中国とが角逐を激化させ、一触即発の危機が醸成されている。この緊迫した情勢のただなかであるからこそ、日共官僚の罪はよけいに重いではないか。

それだけではない。不破＝志位指導部は、立憲民主党の枝野執行部に「安保容認」の誓いをたてるために、諸々の大衆集会において日共党員・労組活動家らが「反安保」を掲げることを上から封じることに躍起になっている。政権ありつきパラノイアに溺れきっている日本転向スターリニスト党官僚による、反基地・反安保をたたかう労働者人民にたいする大裏切りを怒りを込めて弾劾せよ！

代々木共産党は、昨年の第二十八回党大会において、「発達した資本主義の成果」の「継承と発展」による社会変革こそが「社会主義・共産主義への大道」だなどと綱領に書きこんだ。彼らが言う「社会主義・共産主義」とは、ブルジョアジー独裁を本質とする国家権力を打倒するプロレタリア革命を完全否定し・ブルジョア国家のたんなる政権交代をつうじて国家独占資本主義の改良を積み重ねることでしかない。この反プロレタリア的な真正の修正資本主義路線こそが、こんにちの代々木官僚が「野党連合政権」＝保守政党との連立政権の樹立を自己目的化していることの最深の根拠なのだ。〝市民と野党の共闘〟のための選挙宣伝党〟という現在の日共の腐敗した姿は、だからこそなせる業なのである。

「反安保」を放棄する日共中央官僚を弾劾し、菅政権による先制攻撃体制の構築を阻止する闘いを日米の対中攻守同盟の強化に反対する反戦反安保闘争として断固推進しよう！　この闘いのただなかで、プロレタリア階級闘争に敵対する転向スターリニスト党を革命的に解体する闘いをおしすすめようではないか。

「救国」産報運動に突き進む「連合」指導部を弾劾せよ

菅政権と独占ブルジョアどもの一大攻撃にたいして労働者階級としての反撃の闘いを断固として創造しなければならない。しかし、ナショナルセンターを自称する「連合」の神津・相原指導部は、「生産性向上で政労使が力を合わせる」などと宣言した。独占ブルジョアジーにたいして生産性向上と国際競争力回復のための諸施策に全面的に協力するという誓約をしたのである。断じて許せないではないか。

「連合」指導部は、平和フォーラム系諸労組や下部組合員の憲法改悪などに反対するとりくみを公然と抑圧している。右派労働貴族どもが牛耳る電力総連や電機連合などの幹部は、「改憲支持」「原発推進」の立場をいっそう鮮明にしている。まさにネオ産業報国会たる姿を示しているではないか！

いまパンデミック下で数多の労働者が貧窮のドン底に突き落とされているときに、「連合」指導部は、菅政権の棄民政策に反対する闘いも、資本家どもが次々に強行している首切りや賃金カットに反対する闘いも、何ひとつ創ろうとしない。彼らが今二〇二一春闘に向けてうちだした「方針案」こそは、政府権力者や独占ブルジョアどもの「国難突破」を掲げての労働者階級への犠牲強要策に協力することの宣言いがいの何ものでもないのだ。まさに「救国」産業報国の春闘ではないか。断じて許せない！

彼らは、「賃上げ要求」にかんして、中小企業を基盤とする組合などから突きあげられて一応は「二%程度」という目安を提示しはした。しかしそれも現実には、〝各産別労組がそれぞれの事情にみあって決めればいい〟とされ、JC系などほとんどの民間主要労組がハナから無視している。しかも彼らは今日〝生産性の低い中小企業〟を潰して労働者が首を切られることを、〝国全体の生産性を高める〟ものとして積極的に奨励する途に踏みだしたのだ。これこそ、菅政権の〝「雇用維持」から「労働移動支援」に切り替える〟という政策に呼応する許しがたいものではないか！

労働貴族どもの帝国主義支配階級への屈服・いや奉仕にたいして、いまあらゆる戦線のわが仲間たちは労働組合の深部で奮闘している。この闘いに決定されて、中小企業の組合をはじめさまざまな産別・労働組合から「連合指導部の賃上げ放棄を許さない！」という声が噴きあがっている。この力を結集し二一春闘の戦闘的高揚をつくりだそうではないか！　＜一律大幅賃上げ＞を獲得しよう！「国難突破」に挺身する帝国主義労働貴族に牛耳られた「連合」を脱構築するためにたたかおう！

反戦・反ファシズムの闘いを推進せよ！

菅政権がすすめる新型コロナ対策の反人民性を暴きだし、労働者人民への犠牲転嫁を断じて許さない闘いをまきおこすのでなければならない。反戦反安保・改憲阻止の闘いを、またネオ・ファシズム的反動攻撃を許さない闘いを、まさに政治経済闘争と結合して断固として推進しよう。

「自助」を叫ぶ菅政権の棄民政策を許すな！
パンデミック恐慌下での労働者への犠牲強制を許すな！

感染の一挙的拡大をまえに「静かなマスク会食を」などとあまりにも観念的な方針をたれ流しているのが菅だ。あくまでも「自助・共助」をふりかざしパンデミック恐慌の一切の犠牲を生活困窮にあえぐ労働者人民に転嫁する菅反動政権を絶対に許してはならない。生活困窮者を救済するための「住居確保給付金」や、社会福祉協議会が窓口の「特例貸し付け」援助も菅政権は打ち切ろうとしている。「雇用調整助成金の特例措置」も段階的に縮小し、その打ち切りも策している。こんなことがどうして許されようか！

冷血漢・菅の政権は、コロナ感染拡大下で経営危機に陥った中小・零細企業を「生産性が低い」と烙印し、大企業や中堅企業に吸収合併させるなどの方式で淘汰しようとしている。このような弱肉強食の中小企業選別・淘汰と棄民政策を断じて許してはならない。〈パンデミック恐慌〉下での労働者人民への犠牲強制を打ち砕け！　菅政権は困窮労働者の生活を補償せよ！　消費税大増税阻止！　社会保障費の一大削減反対！　人民からむしり取った税金を菅はアメリカ製兵器の大量購入や米軍駐留経費のために投入しようとしている。アメリカとともに戦争をやれる軍事強国にふさわしい財政基盤を確立するための攻撃を断固許してはならない！

米中冷戦下の戦争勃発の危機を突き破れ！　菅政権による先制攻撃体制の構築を阻止せよ！　日米攻守同盟の強化反対！

菅政権がおしすすめる敵基地先制攻撃体制の構築を許してはならない。現下策されている対中国の包囲網づくり、とりわけて対中攻守同盟としての日米新軍事同盟の強化を断じて許してはならない。

「キーン・ソード21」と銘打った史上最大規模の共同統合実動演習を日米両権力者は、二〇年十月二十六日から十日間、全国の自衛隊基地や在日米軍基地、周辺海空域を使って実施した。この訓練は陸海空自衛隊三万七〇〇〇人、米四軍九〇〇〇人という極めて大規模な訓練であった。この「キーン・ソード21」には二〇年五月に発足した空自の宇宙作戦隊が動員され、米軍の宇宙部隊と通信ネットワークを連結しての軍事衛星による敵国監視・ミサイル探知の訓練がおこなわれた。この宇宙からの常時監視こそ、日米共同で敵国のミサイル発射地点を正確に把握し先制的に攻撃する体制を構築するために不可欠なのだ。しかも、米軍の対中戦争計画＝「遠征前方基地作戦（ＥＡＢＯ）」にのっとっての日米合同部隊による敵地強襲上陸演習や、在日米軍基地が攻撃され日本が戦場と化すことを想定した基地防衛・修復訓練が強行された。まさに日米共同の対中国戦争遂行の予行演習がくりひろげられたのだ。

そればかりではない。日米共同開発の新型迎撃ミサイルＳＭ３ブロックⅡＡと巡航ミサイルにも対応できるとされるSM6を装備する「イージス・システム搭載艦」を新たに二隻建造すること、同時に長射程の「スタンド・オフ・ミサイル」開発を、菅政権は閣議決定しようとしている。この新たな大軍拡の決定は、日本国軍が米軍と一体となり中国や北朝鮮が日・米に向けているミサイルを迎撃する体制を飛躍的に強化するとともに、これらの敵基地に「ミサイル阻止」の名で先制攻撃を仕掛けうる軍事体制を構築するためのものなのである。

日米共同の対中国戦争準備を断じて許すな！　われわれは「反安保」を放棄した日共系の運動をのりこえて、「敵基地先制攻撃の軍事体制構築阻止」「米軍辺野古新基地の建設阻止」「日米攻守同盟反対」そして「憲法改悪阻止」を焦眉の任務とする反戦反安保・反改憲の闘いの大爆発をかちとらねばならない。

日本型ネオ・ファシズム支配体制の強化を許すな！

菅政権によるネオ・ファシズム反動攻撃にたいして全労働者階級に警鐘を乱打し、われわれはこの強権的＝軍事的支配体制の飛躍的強化を許さない闘いに断固決起するのでなければならない。

日本型ネオ・ファシズム統治形態を「デジタル社会」にふさわしいものへと抜本的に強化する歴史的攻撃にたいして既成の反対運動総体が立ち向かう力を喪失している。かの「日本学術会議」の翼賛団体化の攻撃にたいしても、マスコミの翼賛化の攻撃にたいしても、日共中央はもっぱら「立憲主義」を拠り所として反対するにすぎない。しかも「デジタル庁の創設」のファシズム的な・したがってその階級的な本質を暴きだすことを抜きにして、人権を侵害する「監視社会」は良くない、と注文をつけているにすぎない。このような没階級的な人権擁護運動によっては、デジタル庁の創設や、＜鉄の六角錐＞の抜本的強化など、NSC専制の強権的＝軍事的支配体制の一挙的強化の策動を打ち砕くことはできない。まさに＜階級なき市民＞を主体とした市民主義的で議会主義的に歪められた一切の運動をのりこえ、労学両戦線において断固たる闘いを推進しなければならない。今こそたたかう労働者・学生は菅日本型ネオ・ファシズム政権の打倒をめざして総決起しよう。

B　反スターリン主義運動の飛躍をかちとろう

現代資本主義の末期的破綻とネオ・スターリン主義の悪と腐敗がむきだしになっている。今こそ、われわれは、戦争と貧困と暗黒支配に覆われたこの二十一世紀世界を〈反帝国主義・反スターリン主義〉の世界革命戦略にもとづいて覆し、全世界プロレタリアートの階級的自己解放をめざして奮闘するのでなければならない。

カール・マルクスは、『ヘーゲル法哲学批判序説』においてこう言った。「〔人間の〕解放の頭脳は哲学であり、その心臓はプロレタリアートである。哲学はプロレタリアートを止揚することなしにはみずからを実現しえず、プロレタリアートは哲学を実現することなしにはみずからを止揚しえない」、と。

このマルクスにならって言うならば、わが同志黒田の革命思想こそは、二十一世紀現代プロレタリアートの自己解放の「頭脳」であり、現代プロレタリアートはこの黒田思想の実現なしにはみずからを解放しえないのである。それゆえに、世界のプロレタリアートの最前線でたたかっているわれわれは、同志黒田の哲学をわがものとして、さらにみずからを鍛えあげ、それを拠点として、日本反スターリン主義運動の全世界への波及のために邁進しようではないか。「世紀の巨人」黒田寛一の思想はいまやロシアやイギリス、南米諸国などへ浸透しつつある（国際反戦集会へ大量に寄せられる世界からのメッセージを見よ）。『黒田寛一著作集』全四十巻の刊行の開始は、まさにその烽火なのである。

みずからの思考法を鍛えよう

われわれが、みずからを現代革命の主体として鍛えあげるためには、革マル主義の諸理論を――哲学、史的唯物論、革命理論、経済学そして社会主義社会論を、そしてまた組織現実論という前人未到の理論を──主体化するだけでなく、同時に諸理論を血肉化し不断の実践に適用していく主体たるわれわれ自身の〈ものの見方や考え方〉を、絶えず自己否定的に省察し、それを革マル主義者にふさわしく高めていくために努力するのでなければならない。

われわれは、黒田さんの哲学・思想・理論を学び、黒田さんに感化され、黒田さんによって発想を揺さぶられ、おのれの既成の「ものの考え方」を壊され壊しつつ、われわれ自身の思想を形成してきたのであり、またそうでなければならない。〈変革のパトス〉に燃えて必死にたたかい、絶えず自己反省し、仲間に感謝する、この豊かな情感のなかでこそ革マル主義者としての思想は育まれていくのである。

二〇〇一年九月の、かの9・11ジハード自爆事件をめぐる内部論争のさなかにおいて、同志黒田が、われわれにたいして提起された次のことを、もう一度噛みしめようではないか。

「⑴心情主義を捨てよ。⑵論議のなれあいをやめよ。⑶相互に傷のなめあいをやめよ。⑷もろもろのことがらを情報として受け取るから、自己自身の思想性が高まらない。自分の思想をつくるということに思いを馳せろ。⑸想像力を働かせて下向分析をするという努力をしろ。⑹結果解釈主義ではなく、客観主義的・説明主義的な頭脳構造になっていることに気づけ。」(『革マル派　五十年の軌跡』第三巻　KK書房刊、三〇四頁)

この文章は、同志黒田が前衛党建設のために、とりわけ組織指導部にたいして指摘されたことであるが、反スターリン主義運動に集うすべての同志が、今いちどじっくり噛みしめようではないか。

⑴心情主義を捨てよ、⑵論議のなれあいをやめよ、⑶相互に傷のなめあいをやめよ──は、われわれの組織づくりの生命線をなす相互思想闘争をより活発にせよ、ということにほかならない。自己の思っていることや考えていることを、仲間の力をもかりて対象化し、まずは率直に表明すること。仲間からの批判は謙虚に聞くこと。過去の自分にしがみつくのをやめ、勇気をもって自己脱皮をはかること。──こうした組織的作風にのっとって、われわれは相互

批判と自己批判を誠実になしとげ、己と組織そのものとを思想的・組織的に不断に高めていくのでなければならない。

⑷もろもろのことがらを情報として受け取る、いわば「情報的主体性」から脱却せよ、⑸想像力を働かせて下向分析せよ、⑹客観主義、説明主義を唾棄せよ――は、われわれの∧頭の回し方∨を鍛えよということにほかならない。安倍政権のダッチロール化と政権放り出し、そして菅政権の登場を的確無比に予測したのもこうしたことのゆえである。

昨年春いらいわれわれが労働者・学生と論議を重ね、内外情勢の特質をすでに述べたように分析しえた可能根拠は、まさにこの同志黒田の教えを場所的に貫徹してきたからなのだ。われわれは絶えずこの「世界を読み」この現在を場所的にイメージし、そして将に来るべきものを洞察してきた。たとえばトランプは、習近平は、菅は……というように、敵階級の諸実体の動向をも、その於いてある場所との関係を措定しつつ、かつそのイデオロギーとの関係をおさえつつ、いわば奴らの心――階級的意図や野望など――をも読みながらダイナミックに分析してきたのである。

しかもそのような分析は、職場生産点でたたかう労働者の仲間や、休校や「オンライン授業」下で奮闘する学生の仲間との論議を基礎としてはじめて可能なのであった。仲間との論議を大切にしつつ、仲間に感謝し組織的団結を強化していくこと、そして相互に∧頭の回し方∨をも鍛えつつ切磋琢磨していくこと――これこそが、われわれのいっそうの前進の基礎なのである。

組織建設の原点を噛みしめよう

暗黒の二十一世紀の根底的転覆に挑むわれわれは、わが組織を、活き活きとしたコミュニスト・革マル主義者の組織にふさわしい組織としてさらに飛躍させるために奮闘しなければならない。そのために、国家権力の謀略的組織破壊攻撃を敢然と打ち砕き勝利宣言を発すると同時に、この地平に立って同志黒田から提起された「組織建設の現在的環」を、われわれの組織建設のつねに変わらぬ原点として絶えず噛みしめようではないか。

「コミュニストとはコミューン主義者の謂であって、共産主義者としての主体性を自覚し形成するということは同時に組織的連帯を獲得し同志愛にもとづく相互信頼の絆をつくりだすことにほかならない。前衛党組織を創造するために日々たたかっている共産主義者は、プロレタリア階級の階級的特殊性として意義をもつ組織的全体性を内在化し体現している存在である。共産主義者の個別的主体性には組織的全体性がつらぬかれているのであって、革命への自己犠牲的献身性も同志愛も組織的連帯および結束もそこから湧きおこるのである。共産主義者たらんとしているこの私が前衛党組織の一員であるということは、この組織が私であることにほかならない。〈前衛党組織が私である〉という共産主義的人間のこの自覚がみずからの感覚にまでなっていないがゆえに、組織内において孤立主義的で自由分散的で勝手なふるまいをすることにもなるのである。仏法を体得し解脱したもの（自利）が同時に他者をいつくしみ救う（利他）、というこの論理（自利即利他、利他即自利）は、共産主義者としての個別的主体性と組織的全体性の相即のなかにもつらぬかれている。」

「組織内の生き生きとした関係をつくりだしつつ組織そのものを生動性あるものとして発展させてゆくためには、わが組織の担い手の一人ひとりが共産主義者としての倫理に目覚め、伝統的な組織内思想闘争を躍動的に発展させてゆくことを意志し実行する以外にはありえない。」（「組織建設の現在的環」『革マル派　五十年の軌跡』第四巻、五三九～五四〇頁より）

戦争と圧政と貧困に苦しむ全世界の労働者人民とともに、新しい世界を切り拓くために、われわれは今こそ世界にはばたかなければならない。

すべての労働者・学生諸君！　二〇二一年、わが運動の飛躍をかちとるためにともに奮闘しよう！

革共同第三次分裂の最終決着を宣言する

12・6革共同政治集会 特別報告

常盤哲治

結集されたすべての労働者・学生諸君！

私はいまここで、革共同の第三次分裂に最終決着をつけたということを、高らかに宣言する。国家権力の謀略襲撃とこれをはねかえすための闘いの過程で斃れた七十有余名の同志たちに、そして今は亡き同志黒田寛一に、このことを報告する。

一 ヤジと怒号に包まれたブクロ派政治集会

去る九月六日のブクロ派政治集会において、議長・清水丈夫が壇上に引っぱりだされて「自己批判」

なるものをおこなった。登壇した清水は、つっかえつっかえ・しどろもどろになりながら、「旧政治局の誤りが深刻な党的危機と混乱をもたらした、その責任は私にある」などとつぶやいた。これにたいして会場から、「徹底的に自己批判しろ！」「マスクなんてしてんじゃねえよ！」とヤジと怒号が飛びかった。埼玉県委員会は集団で退場した。これが、『前進』言うところの「清水丈夫議長との歴史的合流」なるものの惨たんたる現実にほかならない。まさにこの集会は、ブクロ派の終焉を満天下に告げ知らせるものとなったのだ。

シミタケの「自己批判」なるものは、「政治局の誤りは、革命情勢の到来を論じただけで革命党がいかに闘うべきかを語らない空論主義だった」などという白々しいシロモノである。

だが、明るみに出されたブクロ派指導部の腐敗と組織的崩壊ぶりは、そんな生やさしい、キレイゴトではない。旧政治局員全員が解任されたのであり、その理由は、なんと最高指導部のメンバーが不倫や女性活動家の全人格を蹂躙する行為をくりかえし、それを政治局が長年にわたって隠蔽してきたというおぞましい問題にほかならないのである。

「女性差別問題」のおぞましき連鎖

私は、ここで口にするのも恥ずかしい言葉を使わざるをえません。

およそ二十年間にわたってブクロ派書記長を務めてきた天田三紀夫、その女房で学生戦線担当の木崎冴子（前「女性解放組織委員会」キャップ）、坂木こと河村剛（東京都委員長・元中央労対部長）、この「三人組」を中心とする旧政治局は、彼ら言うところの「女性差別問題」なるもので完全に崩壊し、二〇一九年九月に開かれた「二六全総」なる会議で全員が辞任させられた。

動労千葉＝通称駄馬労のボスであった中野洋亡きあと、ブクロ派の党首面をしてきた大原武史こと辻川慎一。この男は、妻がいて子供が三人もいるにもかかわらず、フィリピンから出稼ぎに来ていた女性を二十数年間にもわたって愛人にして蹂躙してきた。

それ以外にも、さらに二人の女性労働者を愛人にしてきた。

天田・清水らの政治局は、この事実を早くから知りながら辻川を政治局員兼中央WOB議長に抜擢し、この男に主要会議での基調報告を毎回おこなわせて労働者組織を指導させてきたのだ。ところが二〇一八年にいたって、この問題を組織内で隠蔽できなくなって事態が発覚した。そのとたんに、当の辻川はさっさと逃亡しブル転した。なんと、この男は労働争議の敵側である茨城の地域交通の社長のフトコロに飛びこんだのだ。

辻川だけではない。二〇一四年に神奈川県委員会の指導部で中央WOBのメンバーであった男は、何回にもわたって一人の女性活動家をレイプした。この事態を被害者から訴えられたにもかかわらず、政治局はこれを隠蔽し不問に付してきた。天田や当時の「女性解放組織委員会議長」の木崎らは、以後五年間にわたって、被害女性を「弱いアンタが悪い」などと脅しつけながら口封じし、あまつさえ「この事実を暴露したらスパイ行為になるぞ」とまで恫喝してきたのだ。鎌田（元ニセ「全学連」委員長）、洞口（杉並区議）らその他のブクロ派幹部もまた、これに同調した。

「二六全総」では、この辻川や神奈川のWOB官僚による女性労働者を蹂躙した醜悪な問題がとりあげられ、これらを隠蔽し擁護しつづけてきた「三人組」をはじめとする政治局員全員が辞任に追いこまれたのだ。

このことは、「暫定政治局」を名乗る小官僚が旧政治局追放の党内クーデタをおこなったことを意味する。そしてそれは、その背後にいる国家権力が、走狗集団としてはとろけきり内部から崩壊してしまったブクロ＝中核派にたいして、〝もはや用済み〟の引導を渡したということにほかならない。

じっさい、いまやこの連中は、「新自由主義とたたかう社会変革運動」なるものを掲げる市民団体のようなものに成り下がっている。天田に代わって「新書記長」になった秋月某。この男が「政治集会」でおこなった「基調報告」たるや、〝いまや新自由主義はダメだというのが社会の多数派なのだから今こそ新自由主義を終わらせよう！〟などというノンポリに毛の生えた程度の度しがたいものなのだ。「反帝・反スタ」の仮面をつけた権力の走狗としてのブクロ派組織は、ここに跡形もなく消滅したのだ。

すでに残骸と化していたブクロ派組織のこの最後的崩壊は、わが革マル派の闘いに追いつめられた官僚どもが、走狗としての正体をおし隠すために、「階級的労働運動路線」などと称してすべての活動家を駄馬労従属の労働運動ごっこ（その内実は右翼的なそれ）に引き回してきた、このことの直接の結果にほかならない。この組織の荒廃は、中野一派のクーデタ（二〇〇三年）、そして中野の死（二〇一〇年）以後に一挙に進んだ。

ブクロ派の唯一のシンボルであった駄馬労は、もはや消滅寸前となった。こうしたなかで、中野の死後に天田とつるんで中央ＷＯＢ議長となった辻川は、駄馬労の消滅をごまかすために「動労総連合を全国に」などと叫びたて、国労内のほんの一握りのブクロ派活動家、定年間近の活動家たちを国労から脱退させて「動労総連合」の地方支部をでっちあげさせ、国労組合員から総スカンをくらった。それだけでなく、わずかに残存する諸戦線や地区の活動家たちにたいして、「動労千葉を守れ」と号令し、ＪＲ関連会社にパートで就職させ、「動労総連合」に加入させて水増ししようとした。

「動労総連合」なる仮象づくりのためのハミダシ運動の強制というこのデタラメな指導のゆえに、二〇一六年にはこれに反発した東京北部地区委員会が集団で脱党した。

しかもこの過程で辻川は、活動家たちに「愛と誠実の原理」などという俗人丸出しの〝思想〟を注入して、全組織をピンク色に染めあげてきたのだ。この男が叫びたてた「労働の奪還論」なるもの、それは「新自由主義は人間の労働と共同性を破壊するから労組に団結して共同的に働くことが労働の奪還・人間の奪還だ」といういかにも怪しげな〝思想〟である。辻川は「資本家は利潤の計算ばかりやって生産の過程と結果に責任を負わない。俺たち労働者は責任を負う」とまで主張した。この男が敵側の社長のフトコロに飛びこんだのも、むべなるかな。まさに資本家や労働貴族が喜びそうなことを強調してきたのだ。

「愛とは闘いである」などとほざきながら何十年間も複数の愛人を同時に抱えて多重生活をしてきた辻川、この野郎が率先して拡げてきたこうした路線と思想によって、ブクロ派党員は上から下までとろけきり爛《ただ》れきった生活に溺れてきたのだ。

いやそもそも、駄馬の頭目であり二〇〇〇年代はじめにはブクロ派の事実上の党首となった中野洋じたいが、DC（動労千葉）会館で複数の女性活動家をなかば公然と愛人にして平然としていたのだ。DC会館は中野のハーレムと化した。清水や天田や木崎は、このことを知りつつ容認し、組織内に箝口令《かんこう》をしいてきた。

辻川が二十数年間も堂々と破廉恥な多重生活をつづけてきたのは、ボスたる中野の不倫を見ならい、議長・清水によるその容認を熟知していたからである。レイプ問題を追及された神奈川の小官僚は、「辻川だってやってるじゃないか」とうそぶいた、という。駄馬の中野はシミタケをバックにして居直り、辻川は中野の〝生き方〟を盾にして居直り、神奈川の小官僚はその辻川を引き合いにだして居直った。この醜悪な連鎖は止めどもない！

もとよりこうした最高指導部の腐敗は、スパイ集団へと転落したブクロ派の組織的伝統にほかならない。野島三郎と高木徹は組織内でいわゆる「女性差別事件」をひきおこして失脚した。元「三派全学連」委員長で、自称「革命軍」のキャップであった秋山勝行、一九九二年に清水が精神的にダウンした後には議長代行までやったこの男も、愛人を囲い、その荒廃した生活のためにスパイ組織の金庫から一億円以上の金を使いこんだ。このような事態をあげていったらきりがない。

彼ら官僚どもは、最高指導部であることを特権にして、おのれの浅ましい欲望をほしいままに貫徹してきたのだ。この腐敗した最高指導部の〝率先垂範〟によって驚くべき腐敗がブクロ派組織の上から下まで蔓延してきたのである。

他方、辻川とともに政治局員であった学生戦線担当の木崎たちは、ブクロ派活動家のガキつまり息子や娘たち（学生活動家の半数以上が二世である）や、「ＳＮＳ」で引っかけた一握りのネチズン学生たちを「次世代の革命家」などとおだてあげ、彼らに「全学連」を名乗らせてきた。彼らは全国のどこにも〝足〟をもっていない。そこでこの連中は、「前進チャンネル」と称するネット放送で、うす汚れた前進社の「見学ツアー」を呼びかけたり、「抽選で年代ものの中核派ヘルメットを贈呈します」と応募をつのったり、はては「酒飲みパーティー」のバカ騒ぎを放映したりして、ネットオタクの関心を引こうとしてきただけなのだ。

かくしていまや、このブクロ派のニセ「全学連」は崩壊した。「東京オリンピック反対」の一点で「ＳＮＳ」で引っかけられ、すぐさまウジ虫「全学連」の委員長にかつぎ上げられた東大生・高原。この高原は早くも脱落した。この男は、いま農学部で「国際開発農学」という、まさに帝国主義による途上国への新植民地主義的侵略のお先棒を担ぐ〝学問〟に精をだしている始末だ。この高原を先頭にして、書記長の京大生・加藤も脱落し、ウジ虫「全学連」の三役は無惨にも吹っ飛んだのだ。

さらにブクロ派学生組織の惨めな最期の姿について、わが学生戦線の仲間から教えてもらったことを紹介しよう。「コミックマーケット」というイベントがあるらしい。ブクロ派学生は、そのなかでも〝ロリコン狂い〟の若者たちが卑猥なアニメ・ポスターを張りめぐらしている会場に「中核派」のブースをだした。「ミドル・コア」などという名前で。これは「中核」の英語名らしい。昔はドイツ語で「ケルン・パー」と言っていたのだが……。そこに「中核」のヘルメットをおいて、「前進」というロゴが入ったクリアファイルを売ったりしたのだという。

これが、上から下までピンク色に爛れきった恥多きブクロ版学生運動の最期の姿なのだ。

自称「暫定政治局」なるものがやっていることもまたおぞましい。彼らがやったことは、無内容きわまりない労働運動情報紙と化した『前進』＝スパイ通信を、これまでの週二回発行（四頁だてを一回、二頁だてのビラのようなものを一回）から週一回刊四頁だてに減らすことであった。そして、9・6政治集会がメチャクチャになってしまったがゆえに、またぞろ国家権力の示唆を受けて廃人シミタケを11・1労働者集会なるもので公衆の面前に引っぱりだした。この11・1労働者集会は、参加者が数年前の三分の一にまで激減した。そこにおいて、自分たちは人畜無害の「社会変革運動」集団にすぎない、「私たちはもう過激派じゃないんです」とひたすらアピールすることに精をだしたのが、このノンポリ政治局なのである。

スパイ集団の恥ずべき最期

すべての労働者・学生諸君！

このようなブクロ派組織の思想的・組織的な荒廃は、国家権力の走狗＝スパイ集団としての彼らの正体を暴きだすわが革マル派の闘いによって追いつめられた彼らが、ただただ政治動物として惰性的にうごめいてきたことの結果なのだ。われわれは、わが仲間たちにかけられてきた殺人襲撃が国家権力内謀略グループによる謀略であることを実証的に暴きだすとともに、この謀略をみずからの「戦果」として追認してきたブクロ派が、その最高指導部から下部組織までスパイの巣窟と化していることを完膚なきまでに暴きだしてきた。

お飾り議長の清水丈夫を先頭として、高木徹や北小路敏、さらには金山克巳・吉羽忠・水谷保孝・小野正春らの官僚どもが、宮崎学――みずからがスパイであることを公言している男――を通して、公安調査庁から金銭や家屋の援助まで受けていた。東京労交センター代表の三角忠も、公調と密通していた。それらの証拠を、われわれは二〇〇一年に暴露した。

ちなみに、公安警察と御用マスコミは、こんにち「清水議長は五十一年間行方がわからなかった」などとさもさもらしく騒いでいるが、笑止千万！　この臆病な男は、本多が鉄槌を浴びたあと、ビビりあがって、実家のある神奈川の山奥の某所に隠れてブルブル震えていたのだ。たまに外出するときには、愚かにもアロハシャツを着て変装したつもりになって、バスでうろうろしていた。そしてその後は、スパイ宮崎に提供された棲み家に閉じこもっていたのだ。こういうことを、われわれが知らないとでも思っているのか！

とにかくブクロ派組織は、公安警察のスパイや公安調査庁のスパイ、さらにはＣＩＡのスパイなどが入り乱れて交錯し、スパイがスパイを摘発し追及するなどという事態が頻繁に起きている。

二〇〇四年には、「対スパイ対策委員会」のパンフレットを発行して、「二十一例」にもおよぶ「スパイ化攻撃」の〝被害〟を恥ずかしげもなく列挙してみせた。そして二〇一三年に発行されたブクロ派のチャチな『五〇年史』なるもの、その最大の宣伝文句たるや、「スパイ摘発が革共同五十年の到達地平」であった。〔この「スパイ」とは中央労対メンバーであった荒川某をさす。〕まさに彼らは、みずからがスパイ集団であることを公然と自白したのだ。彼らは内部でこううそぶいている。――「スパイがたくさん入りこむのは革共同が真の革命組織であることの証明だ」と。語るに落ちるとはこのことではないか。

殺戮の司令官にしてスパイ集団の頭目たる清水丈夫。すでに一九七九年にわが闘いによって失脚に追いこまれながらも、お飾り議長として生きながらえてきたこの廃人シミタケを引っぱりだして下からの反発を抑えこもうとした「暫定政治局」官僚の見え透いたのりきり策は、当然にも完全にパンクした。

まさにわれわれは、わが党派的闘いによって、国家権力の走狗集団＝ブクロ派を最後的崩壊にまで追いこんだ。われわれは、ここにブクロ＝中核派の残骸を解体しつくしたのである！

二　ブクロ派解体の完遂＝第三次分裂の最終決着

われわれがかちとったこの勝利は、一九六三年にわが革共同の隊列から逃亡したブクロ官僚一派の最後の残骸にトドメを刺し、同志黒田を先頭にたたかいとった革共同第三次分裂に、いまわれわれが最終的な決着をつけたという意義をもつ。

満場の諸君。この意義をはっきり確認し、ここで凱歌をあげようではないか！

第三次分裂を出発点とするわれわれの闘い

同志黒田は次のように言っている。――「革共同第三次分裂は、わが同盟の内部に移植され発芽した『ブント主義』、つまり変形されて成長したブント主義としての大衆運動主義＝労働運動主義的偏向、これから決裂するために決してさけてとおることのできなかった革命的な闘いであった」(『革命的マルクス主義とは何か？』こぶし書房刊、付録、二七五頁)、と。

二次にわたる革共同の分裂をつうじて築きあげてきたわが同盟の組織戦術にかかわる基本路線、これを完全に放擲したブクロ官僚一派との革命的決裂をかちとり、われわれは一九六三年二月に革共同革マル派を結成した。われわれは、この第三次分裂を出発点にして、わが反スターリン主義革命的共産主義運動の前進をかちとってきた。

分裂一年後の現実をふりかえってみよう。動力車労組内のわが革命的労働者たちは、尾久・田端の機関区統廃合反対、統廃合にともなう合理化反対の闘争をストライキで戦闘的に実現し、労組を強化し種々のフラクションを拡大強化した。この闘いとは対照的に、全逓羽田空港支部のブクロ派労働者は、ブクロ官僚の指導に忠実につき従い、組合の規範を無視して郵便物の配達を遅らせるいわゆる物《ぶつ》ダメを自己目的化して上級機関の統制処分をくらうという破産をあらわにし、組織的に壊滅した。これが、第三次分裂から一年後の現実だ。

わが反スタ運動から脱落して以降の本多・清水らの思想的変質と堕落はまさに急坂を転げ落ちるごとくであった。脱落五年後には、本多は「安保ブントを左翼スターリン主義として切り捨てるのは誤りだ」と主張し、左翼スターリン主義に先祖がえりしはじめた。あまつさえマキャベリのいわば〝暴力による統治〟の方式を「いささかのあいまいさもなく考えつくしたい」などとのたまいはじめたのだ。

一九六九〜七〇年の安保＝沖縄闘争の時点においては、本多らブクロ官僚は武装蜂起パラノイアを昂じさせ、〝現代のブランキスト〟に転落した。彼らは、ブクロ派のなけなしの労働者・学生に「肉を弾《たま》にして機動隊をせん滅せよ」とアジって権力のフトコロに飛びこませ、文字どおり運動上・組織上の凄絶な破産を遂げた。

このブクロ官僚どもの犯罪性を徹底的に暴露したわれわれのイデオロギー的＝組織的闘い、これに追いつめられたブクロ分子どもは、わが全学連の闘士を虐殺する（一九七〇年8・3海老原事件、七一年10・20水山事件）という凶行におよんだ。反スタ運動からの脱落分子はついに殺人者集団に転落したのだ。われわれは、この局面において、ブクロ派を解体するための直接的党派闘争に踏みきり、この闘いにも圧倒的に勝利した。革マル主義者としての「革命的暴力の行使」にかんする倫理と論理を明確にし、党派闘争論をも理論化しつつ、この闘いを進め勝利したのだ。

ヒステリー化したポンタ・シミタケらは「K＝K連合粉砕・カクマルせん滅」とかいう反革命性を丸出しにしたスローガンを掲げて、われわれに敵対した。わが全学連の革命的部隊は、二度にわたる法政大会戦（一九七四年5・13と6・26）に圧勝し、ブクロ軍団を壊滅させた。

わが革マル派と全学連の仲間たちの巨大な前進に恐怖したのは、ブクロ官僚どもだけではない。国家権力そのものがわが同盟に恐怖と憎悪の念をたぎらせた。「革共同両派の共倒れ」を狙っていた国家権力は、一九七四年六月を期して、謀略部隊を動員して、わが『解放』編集局や革命的労学への謀略襲撃をくりかえした。ブクロ官僚どもは、「カクマルせん滅こそ日本革命への最短コース」とか「無制限・無差別の産別戦争」とかと叫びたて、労働者・学生にたいするあらゆる謀略殺人襲撃をみずからの「戦果」として追認しまくった。殺人者集団は国家権力の走狗集団に転落したのだ！

ブクロ派組織の官僚による支配、上命下服の習慣化、組織の軍団化、スパイ分子の流入、その戦略の決定的変質（「反帝」イズム、日帝打倒主義、そして武装蜂起盲動主義への転落）。わが同盟に追いつめられ敗退を重ねたブクロ官僚どもは、みずからの組織の変質、戦略における変質をも基礎にして国家権力の走狗に転落したのだ。

ここにおいてわが同盟は、もはや党派闘争とは言えなくなった党派闘争を、〈国家権力内謀略グループによる謀略粉砕・権力の走狗集団解体〉を目的とする闘いを、原則的かつ大衆的におしすすめた。われわれは、十二次にもわたる権力の謀略を、鉄道謀略をも含むそれを、実証的・論理的に暴露し、走狗集団を組織的に解体するための闘いを圧倒的に前進させた。とりわけ水本君謀殺・遺体すりかえ事件弾劾闘争の国民的拡がりをもかちとり、「現代の謀略」を全社会的に暴きだしたのだ。

反革命ブクロ派解体のための党派闘争を、さらには謀略粉砕・走狗一掃の闘いを推進してきたわれわれは、この苦難に満ちた闘いに完全に勝利した。一九七〇年代末期においてわれわれのイデオロギー的＝組織的闘いに追いつめられたブクロ派中央は内部対立を激化させて、ついに清水丈夫（本多亡き後の謀略追認の総司令官であったこの男）が失脚したのだ。

その後、残存ブクロ一派は、駄馬労を頼りに延命の道をまさぐってきたのだが、その延命の道をもわれわれは粉砕した。

二〇〇〇年代以降の彼らは、「スパイ化攻撃との闘い」なるものを叫んで〝内部粛清〟に狂奔しながら、他方では、労働者・学生・人民の安保法制反対闘争や辺野古新基地建設阻止闘争にたいして丸ごと「体制内運動」などと悪罵を投げつけ、大衆運動破壊の先兵としてうごめいてきた。この走狗集団の犯罪性と腐敗を、わが同盟は「頭のおかしい中核派」（本誌第二九二号所収）などの論文でリアルに暴きだし、痛烈なパンチを浴びせて彼らの息の根を止めたのだ。

いまや革共同第三次分裂のときにいたブクロ官僚は、生ける屍・清水丈夫以外の誰一人として残ってはいない。殺戮のアジテーターと化してわが革命的左翼の鉄槌を浴びた本多延嘉。わが闘いに追いつめられ思想的背骨を溶解させて破廉恥問題をひきおこして失脚した野島三郎や高木徹。公安調査庁の公然たるスパイとなった北川登。気が狂って自殺未遂をひきおこした山村克。そしてアル中で脱落した広田広。最後に一人だけ残った清水丈夫が、いまや廃人としての惨めな姿を晒したうえでブクロ派の恥多き歴史の幕引きを演じたのだ。

「人間変革」を放擲した政治動物の末路

すべての諸君。改めて確認しようではないか。ブクロ官僚どもの変質と堕落の結末を。

みずからの過去、スターリニズムの枠内にあった己れ、左翼スターリン主義者でしかなかった己れをみつめることもせずに開き直り、ついにはブランキストと化した彼ら。そしてみずからの「敵」とみなしたものに打撃を与えるためには国家権力をも平然と利用するマキャベリズムへの転落。文字どおりの国家権力の走狗への変質＝飛躍！

ポンタにしろシミタケにしろ、この者たちは革命運動を自己（過去的な己れ・既存の思想に呪縛されている己れ）を革命することとの統一において考えたことは一度もない。本多は革共同に結集してきたころ、なんと主張していたか。「人間十人十色、人さまざまだ」、「思想的・人間的同一性なんぞ、小ブルのたわ言だ」と。分裂後には、「革共同に入ったのは、日共とは独立した党をつくるということで黒田さんと共同歩調をとったのだ」とのたまった。この男にとって、革命運動とは「政治の世界」なのだ。人間変革・思想変革なんぞ、百パーセント位置づいていない政治動物なのだ。「思想闘争万能主義反対」と称して前衛党の生命線である内部思想闘争を否定した張本人が、この男だ。「一人一殺」を叫んだ殺戮の司令官・清水丈夫も同様だ。人間の思想的変革などおよそ考えたこともない輩たちなのだ。

わが反スターリン主義革命的共産主義運動は、その発端から——つまり一九五六年の二つの事件（スターリン批判とハンガリー事件）を主体的に受けとめた同志黒田寛一によって切り拓かれたこの時点から——現代革命は同時に人間変革を基礎とするということを哲学的・組織論的に根幹に据えて創造されてきたのだ。

自己肯定、否・自己過信、さらには自己絶対化に陥った者は、必然的に腐敗と堕落の急坂を転げ落ちるのだ。このような者たちは、つねに必ず反スタ諸理論や黒田哲学に悪罵を投げつけ、わが反スタ運動から脱落した。一定の条件下では権力の走狗・反革命にまで転落した。ポンタ・シミタケを見よ！……

ブクロ派だけではない。われわれを「宗教集団」だと罵ってきた青解派もまた、同様の最期を遂げた。わが革命的左翼に敵対して低劣な悪罵を投げつけ組織暴露をこととする者どもは、おしなべて同様の運命を遂げるであろう。これは、わが反スタ運動の歴史が照らしだす真理である。

われわれは、七十有余名の尊い犠牲を払いながらも果敢にたたかいぬき、走狗集団を追認役とした国家権力の謀略的組織破壊攻撃をついに粉砕したのだ。

同志黒田は一九九二年に、その著書『宇野経済学方法論批判』の改版あとがきに、こう記された。

「七〇年闘争直後からの党派闘争を、そして吹き荒れた謀略の嵐を、一九七四年六月以降約二十年にわたって権力がしかけてきた前代未聞の謀略的襲撃を、われわれの総力をあげて断乎としてはねのけ、わが革命的共産主義運動とそれをになう精鋭部隊および前衛組織を守りぬくことができたのは、歴史上いまだかつてない重大な事実であるといわなければならない。」「七十有余名にのぼる貴い犠牲者たちを、残念ながらわれわれの同志や見知らぬ仲間たちのなかからうみだしつつ、われわれは、党派闘争ならぬ党派闘争と謀略粉砕の闘いを組織的にたたかいぬいてきた。血みどろの苦難にみちみちた、このような闘いは、既成の労働運動・学生運動をその内がわからのりこえ前衛党組織を強化し拡大する、という組織実践と同時的に推進されてきた。それは、偉大な創意にもとづく決死的な闘いであった」(こぶし書房刊、四八六頁)、と。

この同志黒田の言葉を噛みしめ、今ここに革共同第三次分裂の最終決着をかちとったということを、本集会に結集しているわれわれすべての者が心を一つにして確認しようではないか。

三　同志吉川は永遠に生き続ける！

すべての皆さん。ここで私は一つのことを報告しなければなりません。去る十一月十六日に、同志吉川文夫が永眠されました。享年八十三歳でありました。

彼は、一九七四年一月五日、九州の地でブクロ派によって襲撃され、後頭部を中心に攻撃されて瀕死の重傷を負わされた。運びこまれた大学病院で彼を診た医者は「九九・九パーセント助からない」と言いました。しかし、脳外科の医療チームのなかに、吉川さんの小・中学校時代の親友であったドクターがいた。このドクターのおかげで医療チーム全体がものすごく一生懸命治療してくれて、彼は最初の危機をのりこえた。

吉川さんはそれ以降、或る仲間の実家で養鶏の仕事をしながら「高次脳機能障害」という後遺症とたたかい、破壊された脳を蘇らせるために不屈の苦闘をしてきた。この彼に、同志黒田は、病状をくわしく聞きながらさまざまなアドバイスと示唆をしてこられた。同志吉川は三十五年間そうした闘いをつづけてきた。そこでロシア語を勉強した。二〇一三年のわが同盟の政治集会は、革マル派結成五十周年記念集会でしたが、そこに彼はメッセージを寄せております。そのなかで、最後にロシア語で、「百年生き百年学べ」と書いている。実際に彼はそのとおりに猛烈に勉強した。

「そろそろ書いてみないか」という同志黒田の示唆があった。それにもとづいて彼は自分史を書いた。それが『今のぼくは二十七歳』という本であります。奥さんが吉川さんの故郷を描いて表紙の絵にしました。

そこで彼は、脳の損傷をのりこえ、革マル派としてのものの考え方・思考を百パーセント蘇らせたのである。同志黒田は言った。「吉川の『今のぼくは二十七歳』こそは探究派の頭なのだよ」、と。

このようなことは、一体どのようにして可能となったのか？

彼を家族のように支えてきた或る仲間は言っている。「吉川さんはいつでも人への感謝を・ありがとうを言い、つねに自己否定を忘れない人だった」と。そのような彼の生き方・精神こそが、革マル主義の思考をつくったのではないか。

同志黒田と出会って、反戦学同・左翼スターリニストであった自分を壊しながら、同志黒田の思想を一つ一つ吸い取った、そういう同志であった。

私は、吉川さんの後半生について、どうしてももう一言語りたい。吉川さん本人の「革マル主義者として生きぬくぞ」という革命的気概に満ちた日常的な努力、医療労働者たちの支え、そして何よりも吉川さんが身を置いた場所で頑張る労働者たちが、毎日二十四時間、生活上の一切について同志愛を発揮しつつ献身的に支えた。また同志たる奥さんは、みずからも車椅子生活を強いられながらも吉川さんの生活を支え、吉川さんとともに『実践と場所』全三巻を五年間以上かけて読み通した。このような同志的・組織的な支えがあってこそ、吉川さんは、医者も驚く生命力を発揮して頑張った。最後に仲間が吉川さんの耳元でインターナショナルを歌い彼の手を握った。これに吉川さんはしっかりと手を握り返した。

脳髄の大部分を傷つけられながらも、その後四十七年間も生きぬいたこと、これじたいが国家権力と走狗どもにたいする断固たる反撃であった、と思います。「革マル主義などバール一本で壊せる」などとほざいたブクロ官僚の憎むべき凶行を、彼は革マル主義者として蘇り生涯をまっとうすることによって粉砕した。――これぞ、勝利と言わずしてなんと言うべきか！

今日この日まで彼が生きてくれて、第三次分裂最終決着の私の報告を聞かせられなかったことは残念ではあります。だがしかし、彼はわれわれのなかにしっかりと生きている。

わたくし常盤も、いささか馬齢を重ねました。同志吉川と第三次分裂をともにたたかいぬいた世代であります。同志朝倉文夫も、同志土門肇も、同志西條武夫も、同志山岡鉄治も、そして同志毛利晴信も、同志筧麻子も、ともにたたかったすべての労働者・学生同志たちも、私たちはみな、同志吉川が今なお自分のなかに生きていると思っている。私の命あるかぎり、彼とともに、そしてここに結集されたすべての仲間とともにたたかう決意であります。

満場の諸君！

同志黒田は次のように語りかけている。「現代における外なる革命を、社会革命を永続的に実現するということは、同時にわれわれの内なる永久革命なしには不可能なのである。外なる革命は内なる革命を前提とし、後者を基礎とすることによって、前者の勝利的実現も可能になるのであって、この二つの革命を統一することのなかに現代プロレタリア革命の本質がある」（「革マル派結成一〇周年に際して」『組織論の探求』こぶし書房刊、三三三頁）、と。

この同志黒田の〈人間変革の哲学＝革命理論〉を、われわれは全実存をかけて受けとめわがものとしようではありませんか。同志黒田寛一の場所の哲学を、そして革マル派建設のなかで築きあげてきた世界に冠たる組織現実論を、個別的にも組織的にも全力をあげて再主体化する努力を積み重ねようではないか。

あらゆる組織破壊攻撃をはねかえし、わが反スターリン主義運動をさらにさらに大きく飛躍させるべくともに奮闘しよう！　ガンバロー！

12・6革共同政治集会を圧倒的に実現

――一三〇〇の労働者・学生が戦闘宣言――

わが同盟は二〇二〇年十二月六日に、首都・東京において、革共同政治集会を圧倒的に実現した。新型コロナ感染拡大下での政府・自治体当局の「移動自粛」規制をはねのけ、本集会には、全国から一三〇〇名の労働者・学生が大結集した。

会場の練馬文化センターには、北海道から沖縄まで全国からかけつけた労働者・学生たちが続々と結集してくる。集会開始の一時間前にはすでに会場の座席がほとんど埋まった。ロビーでは仲間たちの熱い交流が始まっている。「やあ久しぶり」と力強い〝ひじタッチ〟で挨拶を交わす仲間たち。その顔にはわが闘いの前進への自信と誇りがみなぎっている。政治集会は初めてだという青年労働者や若き学生たちが、先輩と一緒ににこやかな表情で参加してくる。大先輩の労働者たちも、「よお、元気でたたかっているか」と互いに声をかけあう。まさに老・壮・青が一堂に会しているのだ。

会館の要請に応えて感染対策は万全だ。実行委員会の仲間や書籍販売に携わる仲間はみなフェイスシールドを付けている。万一の場合に備えて救護体制

全国の労学が反スターリン主義運動の一大前進を決意（20年12月６日、東京）

もつくりだしている。パンデミック下のわが労・学の革命的闘いと全世界の労働者・人民の闘いを記録した写真展示には、黒山の人だかりだ。会場整理係が「距離を開けてください」と呼びかけるなか、仲間たちが列をなして闘いの写真に見入っている。会場には勇壮な闘争歌が流れ、いやがうえにも熱気と興奮が高まる。

午後一時ちょうど、司会の同志が力強く開会を宣言し、ただちに同志武内英明が基調報告に立った。

反戦・反ファシズムの闘いの炎を！
——同志武内が基調報告

パンデミック下のわが革命的左翼の奮闘

同志武内はまず、わが同盟を先頭とする革命的左翼が新型コロナ蔓延下で、いかに創意に満ちた闘いをくりひろげたかを提起した。

われわれは新型コロナ感染が拡大しはじめたその

ときから、安倍政権の「コロナ対策」の反人民性を暴きだし弾劾した。四月の「緊急事態宣言」発令にさいしては、ただちに「生活補償なき緊急事態宣言の強権的発令反対!」を掲げ、あらゆる戦線で奮闘した。

＜パンデミック恐慌＞突入のもとで、大量の労働者が無慈悲に解雇され休業や賃金カットを強いられた。貧窮のどん底に叩きこまれた労働者・人民を見殺しにする安倍政権を、われわれは弾劾してたたかった。五月八日には、わが全学連の戦士たちが「安倍政権打倒!」を掲げて首相官邸に断固として進撃した。この闘いを最先端にして、わが仲間たちは労学両戦線で創意工夫を凝らして闘いを創造したのだ。同志武内は、「私の後輩である国学院大学の若き仲間など多くの大学の学生たちは大学祭をかちとった」と学生戦線の闘いを紹介した。いっせいに拍手が湧き起こる。仲間たちは、一人ひとりが自分たちがつくりだした闘いを想起し、「うんうん」とうなずきながら報告に聞き入る。

同志武内はつづける。——労働者・人民の「反安倍」の怒りの炎に包まれて、安倍はついにノックダウンとなって政権を放りだした。この政権投げだしは、この政権の「コロナ対策」の反人民性を暴きだし、そしてわがたたかう労働者・学生が七年数ヵ月にわたって安倍ネオ・ファシスト政権の打倒をめざして労働者・人民の先頭でたたかってきたことぬきには語りえない、と。

このようにわが闘いの意義を明らかにする同志武内の提起に、すべての参加者は、一年にわたる闘いに想いを馳せながら、誇らしげに熱い拍手を送った。

現代世界の地殻変動と菅ネオ・ファシズム政権の登場

次に同志武内は「世界情勢の現在的特質」について提起した。

第一に、今日の世界が「歴史的にかつてない様相を呈している」こと。パンデミックのもとで、全世界で労働者たちは路頭に放りだされ、他方で資本家どもはますます富を蓄えた。まさに同志黒田の言う「古典的階級分裂」・「古典的貧困」が現前化しているのだ。このことを彼は怒りをこめて暴きだした。

第二に彼は、アメリカ大統領選挙は「没落帝国主義の内部におけるすさまじい社会的経済的荒廃をむきだしにした」と突きだした。トランプ支持者とバイデン支持者とが武装して対峙し、トランプは依然として「敗北宣言」を発していないという異常事態に、それは現れている、と。

そして新大統領バイデンの内外諸政策について論じた同志武内は、「要するにバイデンとは、伝統的なアメリカ金融独占資本、東部エスタブリッシュメントの代弁者なのだ」と喝破した。バイデンは同盟国との関係を修復しつつ、対中国政策では「むしろ政治的軍事的には『膨張中国』にたいする強硬な対抗にうって出るにちがいない」と彼は突きだす。

そして彼は、アメリカ労働者階級は今こそＵＳＡナショナリズムからみずからを解放し、階級的自覚に目覚め階級的に団結することこそが問われている、それこそが「荒廃したアメリカの危機を超克する唯一の道なのだ」と檄を飛ばした。

第三に、同志武内はネオ・スターリン主義国家＝習近平中国の現在について提起した。中国は、「世界制覇戦略の実現にむけて、その歩みを一挙に加速しだした。」とはいえ、〈米中冷戦〉への突入や、開発途上国を餌食にしているという非難が世界中でまきおこっていることのゆえに、いまや「一帯一路」構想は暗礁にのりあげつつある、と。この経済的危機をのりきるために、また熾烈化する米中対決に備えるために、「習近平指導部は〝攻撃的愛国主義〟を煽りたて、準戦時体制さながらの異様なムードをつくりだしている」、と。同志武内は香港人民にたいする大弾圧を、新疆ウイグルやチベット、内モンゴルなどにおける漢民族への同化政策を、ネオ・スターリン主義官僚どもへの怒りに燃えて暴きだした。

第四に彼は、「二〇〇四年頃から激化の一途をたどってきた米中対決は、いまや世界の各地でいつ火を噴くかもしれない戦争的危機を醸成している」と現代世界の危機的様相を突きだした。東アジアでは台湾をめぐって、尖閣諸島をめぐって、南シナ海をめぐって、中国と米・日とは政治的・軍事的に抗争を激烈化させている。「全世界の労働者・人民は、熱核戦争の勃発の危機をも直覚し、戦争と貧困の強制と圧政を打ち砕くために、今こそ国際的に団結してたちあがるのでなければならない」――同志武内の情熱あふれる呼びかけに、すべての参加者は、たたかう決意を燃えたたせた。

つづいて彼は、成立した菅政権による極反動攻撃について提起した。

新型コロナ感染者が急拡大するいま、菅は大企業・独占体の救済に狂奔し中小企業の選別淘汰にのりだした。そして資本家どもはさらに大量の労働者を年末極寒の路頭に放りだそうとしている。この増大する失業者を前にして、菅は「まずは自助を」などと叫んで〝国家に泣きつくな〟と冷酷無比に突き放しているのだ。これこそは〝棄民政策〟そのものであり、「菅がふりまく『自助・共助』のイデオロギーこそは、社会ダーウィニズムであり、ファシズム的優生思想にほかならない」と彼は弾劾した。

しかも〈米中冷戦〉のまっただなかで菅政権は、日米の対中国攻守同盟の強化に突進している。〈鉄の六角錐〉を一段と強化し、NSC専制の強権的=軍事的支配体制をうち固めようとしている。「行政のデジタル化」を叫び、国民総監視=総管理体制の飛躍的強化に突進している。日本型ネオ・ファシズム支配体制強化に突き進むこの菅政権の極反動攻撃を粉砕し、この政権の打倒めざしてたたかうべきことを、同志武内は熱烈に訴えたのだ。

反スターリン主義運動の巨大な前進をかちとろう

次に同志武内は、来る二〇二一年にむけてわが同盟のたたかう指針を提起した。

彼は、「野党連合政権パラノイアに陥った日共中央を許すな！」「〝救国〟産報運動に突き進む『連合』指導部を弾劾せよ！」と、既成反対運動指導部の底知れぬ腐敗への怒りをこめて訴える。そして、溢れんばかりの情熱と決意をほとばしらせて呼びかけた。〈パンデミックの労働者・人民への犠牲転嫁を許すな！〉〈米中冷戦下・敵基地先制攻撃体制の構築を許すな！〉〈日本型ネオ・ファシズム支配体制の強化を許すな！〉

同志武内の基調報告は一時間四十分にわたった。会場のすべての仲間が一言も聞きもらすまいと集中し、終わるや否や、万雷の拍手をもって応えた。「そうだ、頑張るぞ」と新たな決意をうち固めたのだ。

革共同第三次分裂の最終決着を宣言
——同志常盤が特別報告

休憩をはさんで第二部が始まった。同志常盤哲治が特別報告のために演壇に立つ。たちまち会場から割れんばかりの拍手がまきおこり、鳴りやむことなくつづく。すぐに発言を開始することができない。……しばらくして拍手が収まるのを待って、彼は語りはじめた。——「私はいまここで、革共同の第三次分裂に最終決着をつけたということを高らかに宣言する。このことを闘いの過程で斃れた七十有余名の同志たちに、いまは亡き同志黒田寛一に報告する！」と。この第一声に、身を乗りだして聞いていたすべての仲間が「よし！」と圧倒的な拍手で応える。

一九年秋の「二六全総」なる会議を前後して、書記長・天田をはじめとするブクロ＝中核派の旧政治局員は全員が辞任させられた。それは、「最高指導部メンバーが不倫や女性活動家の全人格を蹂躙する行為をくりかえし、それを政治局が隠蔽してきたというおぞましい問題」が暴露されたからだ、と同志常盤は暴きだす。

このかん党首づらをしてきた大原こと辻川某、この男は、二十数年間にもわたって複数の女性労働者を愛人にして蹂躙してきた。ところが、その事実が発覚したとたんに、この男は争議の敵側である会社社長のフトコロに飛びこんだ。神奈川の小官僚もまた女性労働者を長年レイプしてきた。こうした行為をすべて隠蔽し擁護してきた天田・木崎・坂木らの旧政治局の指導部三人組は、いまや完全に吹き飛んだ。まさにこのゆえに彼らの「9・6政治集会」では、議長・清水丈夫が壇上にひっぱりだされて、しどろもどろの「自己批判」をやらざるをえなくなったのだ。だが当の「女性差別問題」なるものに一言も触れないこの「自己批判」は、参加者から「マスクなんてしてんじゃねえよ！」などのヤジと怒号に包まれ、埼玉県委員会は集団で退場した。まさにこの集会は、ブクロ派の終焉を満天下に告げ知らせるものとなったのだ。このブクロ派の驚くべき腐敗こそは、国家権力の走狗＝スパイ集団としての正体を暴きだすわが闘いによって追いつめられた彼らが、ただただ政治動物として惰性的にうごめいてきたことの結果なのだ。――このように同志常盤は、一気に暴きだした。

そして彼はつづける。――「われわれがかちとったこの勝利は、同志黒田を先頭にたたかいとった革共同第三次分裂に最終的な決着をつけたという意義をもつ。満場の諸君。この意義をはっきり確認し、ここで凱歌をあげようではないか！」

この同志常盤の渾身の提起に、すべての仲間は万感の思いを込めて熱烈な拍手で応える。党派闘争ならぬ党派闘争を命懸けでたたかいぬいた同志たちは、志半ばで斃れた仲間たちに想いを馳せつつ、わが闘いの偉大な意義を噛みしめる。この激烈な闘いを直接には体験していない若き仲間たちは、世界に誇るべきわが謀略粉砕・走狗一掃の闘いの歴史に驚嘆し、くいいるように同志常盤の報告に聞き入った。

同志常盤は、わが同盟から脱落したブクロ官僚のこの変質と堕落はなにゆえにもたらされたのか、と問いかけ、そして喝破する。――「ポンタにしろシミタケにしろ、革命運動を自己を革命することとの統一において考えたことは一度もない。」この連中こそは「人間変革・思想変革なんぞ百パーセント位置づいていない政治動物なのだ」、と。

さらに彼は畳みかける。「自己肯定、否・自己過信、さらには自己絶対化に陥った者は、必然的に腐敗と堕落の急坂を転げ落ちるのだ。」「ブクロ派だけではない。われわれを『宗教集団』だと罵ってきた青解派も同様の最期を遂げた。わが革命的左翼に敵対して低劣な悪罵を投げつけ組織暴露をこととする者どもは、おしなべて同様の運命を遂げるであろう！」、と。――怒りとパトスに溢れたこの提起に、満場の労働者・学生は、「そうだ！」「そうだ！」と応え、ひときわ大きな拍手がまきおこった。

同志吉川は永遠に生き続ける！

最後に同志常盤は、静かに報告した。「去る十一月十六日に、同志吉川文夫が永眠されました」、と。

同志吉川は、一九七四年一月に九州の地でブクロ派に襲撃され、「九九・九パーセント助からない」と言われるほどの瀕死の重傷を負った。だが彼は、不屈の革命家魂を貫き同志黒田をはじめとする仲間たちの心血を注いだ支援に支えられ、破壊された脳を蘇らせるために苦闘をつづけた。そして、『今のぼくは二十七歳』という自分史を綴った。同志黒田は「吉川の『今のぼくは二十七歳』こそは探究派の頭なのだよ」と語ったという。

「彼を支えてきた或る仲間は言っている。『吉川さんはいつでも人への感謝を・ありがとうを言い、つねに自己否定を忘れない人だった』と。そのような彼の生き方・精神こそが、革マル主義の思考をつくったのではないか」、「彼は今もわれわれのなかにしっかりと生きている。」――同志常盤は、全生涯を革命運動に捧げた同志吉川を偲び、「彼とともにたたかおう」とすべての労働者・学生に訴えた。この同志常盤の心の底からの呼びかけに、多くの仲間が感動し涙し、そして奮いたった。同志吉川のように、あらゆる苦難をのりこえ反スタ運動の前進のためにたたかいぬくぞ、と！

「あらゆる組織破壊攻撃をはねかえし、わが反スターリン主義運動をさらにさらに大きく飛躍させるべくともに奮闘しよう！」――ひときわ力強く最後に呼びかけて同志常盤は報告を締めくくった。いつまでも鳴りやまぬ拍手が会場に響き渡った。

司会の同志が、「吉川さんの革命家魂を見習って、革マル主義者として生き抜いていくことを、この場においてともに決意しようではありませんか」と呼びかけた。「そして私も言いたい。吉川さんは、関西の学生戦線時代の私の指導部でありました。私も彼の革命家としての生き方を鑑《かがみ》にして粉骨砕身たたかいぬきます」とみずからの決意を表明した。そして、ブクロ派の最期に触れて「反スターリン主義運動から脱落し、わが革マル派に敵対した者どもには、無残な末路しか残されていない！」と決然と宣言すると、再び会場は割れんばかりの拍手に包まれた。

二〇二一年の闘いへの橋頭堡を築く

労働戦線を代表して民間戦線の労働者同志が発言に立った。

彼は、パンデミックのなかでいわゆる「コロナ解雇」がふりおろされ、一三〇万人以上の労働者が失業に叩きこまれていることを怒りに燃えて報告した。このときに、「連合」指導部が「セーフティネットづくり」の名のもとに「職業紹介事業の充実」を要求し、「失業なき労働移動」と称して資本家どもの首切り・雇い止めを肯定し協力していることを弾劾した。

彼は「既成の労働運動をのりこえて職場からの闘いをまきおこしてきた、その闘いの一端を報告したい」と提起した。従来の生産ラインを廃棄し・そこに働くすべての労働者に解雇を通告してきた経営者にたいして、わが仲間は形骸化していた労働組合をたて直し「解雇撤回」を掲げて奮闘した。経営者による反組合分子の育成と活用や、パワハラまがいの組合員への罵倒。これらの不当労働行為にわが仲間はけっしてひるまず、一つひとつ正面から対決してたたかった。そうすることで職場の雰囲気を変え、労働者の意識を変えたのだ。

また、コロナ感染を理由に団体交渉を放棄する「連合」系ダラ幹を弾劾し、緊急事態宣言下で「対面での団体交渉」をかちとった。こうした闘いをつうじて組合員たちを一歩高め、わが労働者組織そのものの組織的強化を着実に成し遂げてきたのだ。

彼は、闘いの場の分析をどう組織的に深めるか、どのような職場闘争やオルグ活動をやれば職場の労働者にたたかうバネをつくりだし団結を強くすることができるのかをめぐって、組織的論議を重ねてきたことなど、この組織的闘いの教訓を豊富に語った。わが組織現実論や労働運動論を適用し組織討論を深めるとともに、そこに貫かれている同志黒田の〈実践の場所の哲学〉をわがものとするために努力してきた、と。

最後にわが同志は、来る二〇二一春闘において

「連合」指導部の賃上げ要求の放棄を弾劾しのりこえ「大幅一律賃上げ獲得」のためにたたかう決意を力強く明らかにした。——コロナ・パンデミック下で闘いを創造していく闘志にみなぎったこの発言にたいして、すべての参加者は熱い連帯の拍手を送った。

学生戦線を代表して全学連・有木委員長の決意表明だ。

彼はまず、二〇年秋期の激闘につぐ激闘を生き生きと報告した。「ネオ・ファシスト菅が政権を発足させた直後の九月十九日、全学連は首相官邸前に断固として登場し、わが全学連の闘争宣言を叩きつけてきた」、十月には全国各地で労働者・学生統一行動を断固として敢行した、と。さらに菅による「日本学術会議」会員の任命拒否にたいして、早稲田大学をはじめとして、「全国のわが全学連の闘いによって、いま全国の各学園から菅政権を弾劾する声が澎湃とまきおこっている」と、彼は力強く報告した。

つづいて有木委員長は、「この秋、全国の学園において大学当局が規制や『中止』を要求してきたことを打ち砕き、大学祭を〈自治と文化の祭典〉として実現してきました」と自信に満ちて語った。まさに全国の各大学において、わがたたかう学生の仲間は、多くのサークルや自治諸団体を組織し対当局の大衆的要求行動をくりひろげてきた。そして、当局の規制を打ち破って「対面」での学園祭をかちとり、自治組織の強化を実現してきた。——このわが仲間たちの創意あふれる闘いにすべての労働者・学生がかぎりない共感を拍手であらわした。

パンデミック下で、「日共系学生は対政府をはじめとするいっさいの大衆的闘いの創造を放棄した、まさに日共系学生運動は完全に消失しさった」と彼は宣告した。そして「私は全学連委員長として全国二九〇万の学生に、わが全学連の深紅の旗のもとでともにたたかうことを訴えたい」と高らかに宣言した。さらに「今集会には、わが全学連運動を先頭で切りひらく決意のもとに新たな仲間が結集している」という彼の報告に、会場は大きな拍手で応えた。

最後に彼は、「菅政権がふりおろす極反動攻撃を打ち砕くべく、反戦反安保・反ファシズムの闘いを嵐のごとくまきおこす」、「職場深部で奮闘する戦闘的・革命的労働者のみなさんとあいかたく連帯したたかいぬく」と決意表明して発言を締めくくった。わが全学連いがいの一切の学生運動が消滅しているなかで、全国各学園で光り輝く革命的学生運動を創造している若き仲間の凛とした決意表明に、すべての参加者は連帯の拍手で応えた。

すべての議事が終了した。司会の同志が「米中冷戦下の現代世界の危機を新たな時代への転回点たらしめる部隊は、わが反スターリン主義革命的左翼をおいてほかにはない。この気概に燃えて〈いま・ここ〉からの闘いを断固としておしすすめていこう」と呼びかけ、集会終了を宣言した。

シュプレヒコールとインターナショナルの斉唱だ。演壇上には全学連の白ヘル部隊が元気よく登場した。シュプレヒコールがこだまする。「パンデミック恐慌の犠牲転嫁を許さないぞ！」「反戦・反安保・反改憲の闘いを爆発させるぞ！」「日本型ネオ・ファシズム支配体制の強化を許さないぞ！」「菅政権の打倒をめざしてたたかうぞ！」――拳をふりあげる仲間たちの顔は、みな紅潮し輝いている。

全員で合唱するのはやめてほしい、という会館側の要請のもとに、全学連の女子学生がインターナショナルを斉唱した。すると、会場のあちこちから手拍子がはじまり、たちまちそれは会場全体を包みこんだ。まさに会場のすべての仲間たちの心と決意はひとつになったのだ！

本政治集会においてわれわれは、世界史的なパンデミックのもとで労働者・人民の反抗がなお階級闘争としてはくりひろげられてはいないただなかにあって、世界の労働者階級の未来は、ひとえにわが日本革命的左翼の奮闘にかかっている、ということをしっかりと確認し、不退転の決意をうちかためた。そして走狗集団＝ブクロ派を最後的に解体し革共同第三次分裂の最終決着をかちとったということを、すべての同志・仲間たちは歓呼の声で確認した。もってわれわれは、二〇二一年の階級闘争を全世界労働者・人民の最先頭で領導するための橋頭堡を確固として築きあげたのである。

すべてのたたかう労働者・学生諸君。ともに奮闘しよう！

二一春闘の戦闘的高揚を！

困窮する人民を見殺しにする菅政権を打倒せよ

中央労働者組織委員会

新型コロナ・パンデミックの発生から約一年——。世界はいま、感染症の爆発的拡大と経済的破局の深刻化という未曽有の歴史的危機に覆われている。そして全世界の労働者階級・人民は、各国権力者どもの露骨な棄民政策と独占ブルジョアどもの無慈悲な犠牲強要のゆえに、ますます貧窮のどん底に突き落とされつつある。

新型コロナの感染の第三波に襲われている日本においては、二〇二一年一月七日、菅政権が「緊急事態宣言」をまさに泥縄的に発出した。この「緊急事態宣言」においては、東京・神奈川・埼玉・千葉の首都圏一都三県に限定して飲食店を主要なターゲットにするかたちで一ヵ月間営業時間の短縮（午後八時まで）を要請することが主要な眼目とされている。だが、休業・廃業を余儀なくされる店舗や首切りに見舞われる労働者・パート・アルバイトにたいする政府としての十全な補償をまったくおこなわないままにただ営業時間短縮を求めるこの「緊急事態宣言」は、感染拡大防止のうえで何の効果をも生まないことは、火を見るよりも明らかである。またもやおびただしい労働者が路頭に投げ出されるだけなのだ。

　こうしたなかでたたかわれる今春闘は、いつにもまして重大である。〈パンデミック恐慌〉のもとでみずからの延命のために労働者・人民を困窮に突き落とす独占ブルジョアども――これにたいして、労働者階級が団結して断固たる反撃に転じうるか否かに、日本労働者階級の命運がかかっているのだ。

　今こそ日本の労働者・人民は、既成諸政党・労組指導部の腐敗を突き破り、政府には「困窮する人民にたいする直接無条件の生活補償」を突きつけ、資本家どもにたいしては「首切り・賃金切り下げ粉砕！」をみずからの力でたたかいとるのでなければならない。

　革命的・戦闘的労働者諸君！「大幅一律賃上げ獲得」をめざして今二一春闘の戦闘的大爆発をかちとろうではないか！ そしてこの日本の地での闘い

目次

を基礎に、全世界の労働者階級の国境を超えた団結を創造しようではないか！　働くものの未来のために！

Ⅰ　世界の激動と菅政権の反動攻撃

A　現代世界の激変

世界の新型コロナ感染者は八八〇〇万人、死者は一八〇万人を超えた（一月八日現在）。この事態は、パンデミックによる実態経済の凍りつきに震撼した各国の権力者どもが、危殆に瀕する独占資本を救いだすために、おしなべて「感染症対策よりも経済回復優先」へと舵を切ったことのゆえにもたらされたものにほかならない。

しかも、まさにこの〈パンデミック恐慌〉を現実的基礎として、世界はいま巨大な地殻変動に見舞われている。没落帝国主義国アメリカとネオ・スターリン主義国・中国とが、政治的・軍事的・経済的のあらゆる場面で激突する〈冷戦〉に突入し、この二十一世紀世界の構造的変化のゆえに世界の各地で戦争勃発の危機が深まっているのである。

ソ連スターリン主義の自滅的崩壊以降、「一超」軍国主義帝国として世界に君臨し暴虐の限りを尽くしてきたアメリカ帝国主義の、今日の凋落と荒廃を見よ！

一月六日の連邦議会においてバイデンを次期大統領として正式に選出したこの儀式は、トランプに煽動され暴徒と化した支持者の乱入と四時間にわたる議事堂占拠によって中断し、五人の死者と五十人以上の逮捕者を生むという流血の事件によって飾られた。もはやブルジョア政権の移行ひとつまともにできないことを示したこの事件の基底にあるものは、すさまじい「階級間格差」とこれにもとづく社会の分断であり、またやがて「世界第一の経済大国」の座を中国に奪われることへの焦りと恐怖であるといえる。トランプ流の国家エゴイズム＝アメリカ第一主義ではなく、「自由と民主主義」という欺瞞に満ちたボロ旗を掲げ直して、「全体主義国家・中国」

に対峙しようとしていた次期大統領バイデンの血塗られた船出は、はやくもそれが暗礁に乗りあげることを示している。

このアメリカの〝惨劇〟を目の当たりにしてほくそ笑んでいるのが、「市場社会主義国」中国にほかならない。このかん習近平の中国は、武漢で発生した新型コロナウイルスの現地調査をおこなおうとしたＷＨＯ（世界保健機関）の調査団にたいしてビザの発給を拒否したり、香港の民主派の議員や活動家を「国家の転覆を企てた」として根こそぎ逮捕したりしてきた。これらは、まさに血塗られた「自由と民主主義」を掲げたバイデン政権の登場に備えてのいわば〝駆け込み〟的な既成事実化であるといえる。そして習近平は、中国にたいする「対抗と協調」を謳うバイデンのアメリカと対決し、これに追いつき追い越すことに躍起となっているのだ。

まさにこうしたことのゆえに、米中の〈冷戦〉は、いよいよ熾烈化の一途をたどろうとしているのである。

Ｂ　菅ネオ・ファシズム政権の反動諸攻撃

感染対策の放棄

一月七日、菅政権は、首都圏の四都県に「緊急事態宣言」を発した。その内容は、①飲食店に午後八時までの時短営業を要請する、②午後八時以降の外出の自粛を要請する、③テレワークを推奨し出勤者の七割削減を要請する、④イベントやスポーツ観戦などは五〇〇〇人以下かつ会場収容人数の五〇％以下に制限することを要請する、⑤期間は一月八日から二月七日までの一ヵ月間、⑥宣言解除の基準は直近一週間の新規感染者が一〇万人当たり二十五人（東京は一日当たり五〇〇人）、というものである。

この「宣言」が出された一月七日には、新規感染者数が全国で一日当たり七五〇〇人を超え、東京では二四〇〇人を超えていた。しかも医療崩壊はすでに現実のものとなっていた。こうしたまさに感染の爆発的拡大〔新型コロナ感染症対策分科会がいうところの「ステージ4（爆発的感染拡大）」」の真っただなかで、この「宣言」は出された。このこと自体が、菅政権が感染対策を完全にネグレクトしてきたことを示している。

実際、菅政権成立直後の昨二〇年九月にはすでに、冬の第三波の感染増加にそなえて対策をとるべきことが、感染症の専門家や医師会など多くの医療関係者から幾度となく指摘されていた。政府こそが、保健所・医療機関・検査機関などにたいして資金・物資・人員を援助して体制を補強すべきであった。にもかかわらず、これら一切を放棄してきたのが菅政権なのだ。病床確保などを「それは都道府県の管轄」と称して、その対策一切を自治体当局に丸投げし、感染拡大は自治体当局の責任であるかのように開き直ってきたのが、首相・菅義偉なのだ。

それだけではない。昨年の十一月十二日には国内の新規感染者が最多を更新し、十一月二十日には政府の分科会が「ＧｏＴｏトラベル」の見直しを提言した。にもかかわらず菅は、この大手旅行業界支援である「ＧｏＴｏ」を政策の〝目玉商品〟としてこだわりつづけ、これを止めようとはしなかった。ようやく菅が「ＧｏＴｏトラベル」の年末年始の停止を表明したのは、国内新規感染者が三〇〇〇人を超えた（十二月十二日）後の十二月十四日であった。まさにこのことが、感染の第三波をひきよせたといえるのである。

さらに「［十一月二十五日から十二月十六日までを］勝負の三週間」と十一月二十五日に呼びかけておきながら、また「五人以下の静かなマスク会食」を呼びかけておきながら、みずからは自民党幹事長・二階俊博とともに銀座のステーキ店にとりまきを集めて八人で会食し（十二月十四日）、あまつさえ釈明の記者会見で「誤解」を乱発したのが、菅なのだ。にもかかわらず菅は、「国民全体で危機感が薄れた」などとうそぶいた（一月五日の感染症対策分科会）。なんという破廉恥漢！

この首相・菅は、感染者が激増し医療労働者たちが奮闘している大晦日に、「まず今の医療体制をしっかり確保」せよとか「感染対策の基本はマスク、手洗い、三密回避」であるとか、いけしゃあしゃあとのたまった。これまでさんざん感染対策を放棄してきたのが菅ではないか！　新型コロナウイルスの感染が拡大しつづけ医療崩壊という事態をまねいた責任の一切は、菅政権にあるのだ。

こうした菅政権の感染対策の放棄によって、医療体制は危機に瀕している。感染者を医療機関に割り振る役目を担っている保健所の労働者が年末年始も休むことなく長時間労働しても、医療機関も検査機関もフル稼働しても、重症になっている患者さえ入院先が見つからず、何千人もの「コロナ陽性者」が自宅で入院を待っている（一月二日いこう東京の待機者は三〇〇〇人を超えている）。入院できないまま自宅で亡くなる感染者も後を絶たない。

このかん新型コロナ感染症の患者を受け入れてきた病院では、重症者用・救急患者用のベッドもコロナ患者で埋まってしまい、コロナ以外の救急患者や重症患者（冬に多い心筋梗塞や脳梗塞・脳出血の患者など）の受け入れもできなくなっている。医師・看護師・検査技師など医療労働者の多くが疲労の極に達している。「コロナ対応のベッド」をたとえ増やしたとしても働き手が確保できないのが、多くの自治体の実状なのだ。

困窮する人民を見殺し

昨年九月の政権発足以来、独占ブルジョアどもの意を体して「経済回復」を最優先にして、感染症対策などそっちのけで「ＧｏＴｏトラベル」「ＧｏＴｏイート」などの「需要喚起」策に熱中してきた菅政権。専門家からの提言などは歯牙にもかけなかったこの政権が、東京都知事・小池百合子との責任のなすりつけあいのはてに首都圏四知事からの要請に押し切られるというかたちで、「緊急事態宣言」を出しはした。だが菅政権は、休業を余儀なくされる飲食店にたいして何人の労働者が働いているかということとまったく無関係に、一律に「時短営業に応じた場合には協力金の上限を現行の四万円から六万円に引き上げる」としただけである。生活補償について菅は、一月十八日からの通常国会で、しかも昨年に感染の収束を前提にして作った第三次補正予算案の審議のなかで検討するとうそぶいている。休業を余儀なくされる店舗や今後さらに増加するであろう首切りや賃下げに見舞われる労働者にたいして、政府としての補償を直ちに講じようとはまったくしていないのだ。

それだけではない。菅政権は、安倍政権の時代からのほんのわずかばかりの「中小企業支援策」をも、次々に中止しようとしているのだ。いま日本の中小企業の八・一%が、廃業を検討しているといわれている。飲食店にいたっては実に三二・七%が廃業を検討しているという。にもかかわらず菅政権は、持続化給付金も家賃支援給付金も一月十五日をもって打ち切ることを決めている。また雇用調整助成金の特例措置を早期に打ち切ることをも企んでいるのだ。

首を切られ家も失った労働者が激増している今日、この貧窮人民を見殺しにしているのが、「自助」を叫ぶ極反動・菅政権なのだ。

「コロナ不況」を口実にして、とりわけ非正規雇用労働者の多くが首を切られつづけている。政府の発表でも、昨年の各月の非正規雇用労働者の人数は前年同月と比べて一〇〇万人前後も減少している。

昨年十月の自殺者の数は、前年同月比で四〇%以上も激増している。とりわけ、非正規雇用の割合が高い女性労働者（全女性労働者のうち七割が非正規）の生活困窮と自殺が激増している。昨年十二月の政府の統計では、「コロナ後」に職を失ったのは男性が三二万人であるのにたいして、女性は七四万人と二倍以上となっている。女性の自殺者は前年に比して八二・八%も増加しているのだ。

この自殺者の激増は、雇用保険を受けられない短期派遣の労働者や雇用保険の受給期間が切れてしまった労働者にたいしては、国は「連続受給は不可」などの厳しい条件を付けており、実質的には支援の手をさしのべる制度はなきに等しいこと、このことの結果ではないか。しかも政府が貧窮にあえいでいる労働者・人民に生活保護を極力受けさせないようにしていること、首相・菅が困窮する人民に向かって、「自助」を叫び「国家にすがるな」と恫喝してきたこと、このことの一つの帰結ではないか。にもかかわらず、首相・菅は、さもさもらしく一人親にたいしての「給付」を「臨時特別給付金」などと銘打っている。だが、これは年末にたった一度だけ五万円（プラス子供一人につき三万円）を支給するというまったくの焼け石に水でしかないものなのだ。

菅政権は、医療や福祉の分野にはできるだけ国家財政をつぎこまない姿勢を露骨に示している。「経営効率が悪い」などとみなしてかねてより統廃合の対象にされてきた四四〇の公立・公的病院（これにはいま感染症対策で活躍している病院が含まれている）にたいして、菅政権は、現下の医療崩壊の危機にあっても予定通り再編・統合を進めようとしているのだ。

それればかりではない。七十五歳以上の医療費窓口負担の二倍化（「年収二〇〇万円以上は二割負担にすること」を与党内で合意）をも、政権内では決定している。菅政権は、医療機関や介護施設事業者にたいしては診療報酬や介護報酬をわずかに引き上げることをもって「援助」しているかのようなポーズを示している。だがそれは、医療・介護サービスを受ける労働者・人民の窓口負担や利用料負担の増大をもたらすものでしかない。

このような菅政権の進める社会保障切り捨て・社

会的弱者切り捨ての諸政策こそは、まさに「まず自分のことは自分でやってみよ」という「自助」なる〝理念〟の現実的現れにほかならない。新型コロナウイルス感染者のうち約一五％の人が重症化することを知ってはいても、そのような〝弱者〟は〝死んでもらって良い〟とみなしているのが、ネオ・ファシスト菅なのだ。いま職も家も失った人々は、野宿を余儀なくされたり、生活保護を受ける以外に生きられなくなっている。ところがこうした困窮者をバッシングするような風潮さえもが一部には生みだされている。このことは、菅政権が「貧窮は自己責任」「公助はできるだけ受けるな」というような優勝劣敗のイデーを吹聴していることにも起因しているのである。

独占資本家どもの意を受けた「経済のデジタル化」

菅政権は政権発足以降、新型コロナ感染対策を実質上放棄したまま、ただもっぱら独占資本家どもの意を受けて「経済成長・景気回復」のための諸施策に腐心してきた。独占ブルジョアどもが「第四次産業革命に乗りおくれてしまった」と焦りを募らせているなかで、現下の〈パンデミック恐慌〉を奇貨として、日本の産業構造を一挙に転換することを画策しているのが、菅政権なのだ。

この菅は、今年の年頭所感においても、「わが国の新たな成長の源泉となるのは『グリーン』と『デジタル』だ」と、あらためて声高に主張した。昨年十一～十二月、感染者数がじりじりと増加し第三波の到来が明白になりつつあったにもかかわらず、それは「気温のせいだ」とか「東京都がしっかりやればよい」とかとタカをくくっていたのが菅であって、つい昨日まで菅の脳裏には新型コロナ感染対策などは少しもなかったのだ。

このことは、昨年十二月に閣議決定した「追加経済対策」を見ても明らかである。七三兆六〇〇〇億円の事業規模のうち「景気の下支えとポスト・コロナにむけた経済構造の転換（脱炭素社会実現への企業支援など）」に五一兆七〇〇〇億円、「国土強靱化」と銘打った公共事業に五・九兆円、そして医療体制の拡充・国費でのワクチン投与・廃業の危機にある事業者および生活困窮者への「緊急包括支援」などのすべてをひっくるめての「感染対策」は、わずか六兆円でしかないのである。〔ちなみに二〇二一年度の予算案において軍事費は過去最高の五・三四兆円である。〕」

菅政権は、「脱炭素化技術開発支援の基金創設」に二兆円も計上し、「脱炭素」（次世代蓄電池・水素活用技術・二酸化炭素の再利用など）の技術開発や「デジタル・トランスフォーメーション（デジタル技術革新）」をおこなう企業を全面的に援助することをうちだしている。「脱炭素（グリーン）社会」にむけて「脱炭素技術」などを開発するように業態転換することや、労働過程にＡＩ（人工知能）・ＩＣＴ（情報通信技術）機器を導入して労働者を極力削減したりテレワークを強制したりするという〝デジタル合理化〟を進めること――これらを菅政権は資本家どもに促しているのだ。

そしてこうした「ポスト・コロナ」を見据えた独占資本支援策の他面で、菅政権は、倒産の危機に瀕する中小・零細企業への支援を打ち切ろうとしている。菅政権の閣僚どもは、「中小企業向けの補助金は対象を絞りこむべきだ」とか「支援が常態化すれば新陳代謝が阻害される」とか「一律給付から企業の成長力強化を促進する支援に転換すべきだ」とか、口ぐちに主張している。また菅のブレーンである竹中平蔵やアトキンソンらは、「生産性の低い日本の中小企業を淘汰すべきだ」などと公然とうそぶいている。

このような菅政権による脱炭素技術開発の援助や「デジタル化」推進企業の援助やサプライチェーン再編支援などの推進は、大独占体諸企業のリストラ・労働者の首切り・配転や、中小・零細企業の倒産・廃業をもたらすもの以外のなにものでもない。日本国家独占資本主義の末期的な危機を、労働者に一切の犠牲を転嫁することによってのりきろうとしているのが、日本ブルジョアジー・政府権力者なのだ。

「行政のデジタル化」と称する一億総監視

菅政権は、このような「経済のデジタル化」とともに「行政のデジタル化」の推進をも呼号している。中国・韓国・台湾などの諸国権力者が、コロナ対策において、〝デジタル監視網〟を駆使し国民を徹底的に監視して感染者・濃厚接触者の発見や隔離をおこなってきたことを目の当たりにして、菅政権は、日本の「デジタル化」の遅れに焦燥を募らせた。まさにこのゆえにこの政権は、いまなお取得率が低いマイナンバーカードを全国民に行き渡らせることを狙っている。そして、このカードを持っている住民のマイナンバーと健康保険・運転免許証や銀行口座などとの〝ひもつけ〟を画策している。こうして得られる一億国民の社会保障の受給、保険料や税金の納付、通院・入院歴、預貯金状況、交通違反や事故歴などなど一切の情報を、菅政権はNSC(国家安全保障会議)が統括するデジタル庁のもとに一元的に管理することを狙っているのだ。このために、現在はバラバラで統一性のない地方自治体行政の情報システムを標準化し統一することをも進めようとしている。まさしく、一億総デジタル監視社会の実現を狙っているのだ。

政権発足以来、首相・菅は、日本学術会議の新会員の任命を拒否したり、マスコミにたいする統制を強化したりするなど、政・財・官・労・学・マスコミの∧鉄の六角錐∨を日本型ネオ・ファシズム統治形態を支える柱として強化するためのウルトラ反動諸攻撃に狂奔してきた。そのうえに国家が国民を総監視する社会体制を築こうとしているのが、菅日本型ネオ・ファシズム政権なのである。

Ⅱ　資本家どもの首切り・賃下げ攻撃

新型コロナの感染爆発と経済危機の同時的で相乗的な・悪循環的な深刻化のなかで、今日、日本の独占ブルジョアども、とりわけ自動車などの製造業の資本家どもは、中国のわずかばかりの「生産回復」にも依拠しつつ、パンデミックで寸断されたサプライチェーンを再編し直し、生産を回復することに狂奔している。自動車産業をはじめとした独占資本家どもは、収益を取り戻しているのであるが、それは、

＜パンデミック恐慌＞のもとで非正規雇用労働者をはじめとして多くの労働者の首を切り、〝業績回復期〟にも雇用を増やすことなく、労働者たちに長時間・超強度の苛酷な労働を担わせているからにほかならない。

また、感染拡大を活用して増収・増益を確保してきた産業・業種もある。テレワークの拡大や諸企業の「デジタル化」によるＩＣＴ機器の需要増加のゆえに、生産・販売を増大させた電機産業・ＩＣＴ関連産業。感染を恐れる人々が病院を避けて市販薬に頼りマスクや消毒液も買い求めたことのゆえに商品の需要が激増した衛生材料や薬品の製造業。なかでも消毒液などの増産につぐ増産に邁進してきた化学産業の独占資本家どもは、設備の更新も労働者の増員もすることなく、労働者に向かって「生産性を上げろ」と呼号し、彼ら労働者にかつてないほどの極限的な労働強化を強いてきたのだ。

また電機産業などの独占資本家どもは、労働者に「リモートワーク」「テレワーク」での労働強化を強いている。実際「テレワーク」によって従来よりも長時間労働を強いられることとなった労働者は五二％にのぼり、しかも残業申請をしない者は六五％にものぼる。「テレワーク」によって「隠れ残業」が横行しているのだ。そしてそのうえで資本家どもは、「テレワークは時間で評価できない」などとほざきながらジョブ型の雇用・人事・賃金制度の採用をも強行しているのである。彼らは、徹底して人員を削減しつつ、一部の「IT人材」以外の労働者を非正規雇用にして低賃金を強いている。実際、高卒・中卒の求人数は全体で二〇％以上も減少し、IT・電機・通信などでは未経験者の求人は半分以下に減少している。

そして、需要が落ちこんだ観光・飲食・宿泊・交通などの資本家どもは、資本としての生き残りをかけて労働者に首切り・一時帰休・賃金カットをドシドシと無慈悲に強いてきている。資本家どもは、パートなどの非正規雇用労働者にたいして、出勤時間・回数を極端に減らしたり「当面休むように」などと命じて事実上の雇い止めにするなどの手口をも駆使して、労働者を切り捨ててきたのだ。またANA・JALなど航空業界の経営者どもは、労働者にたいして一時金や月例給を大幅に削減し、さらにスーパーや自治体窓口に数百人規模の転籍や出向を画策している。JTBなど旅行業経営者どもは、労働者の二割以上を「希望退職」という名目で首を切ろうとしている。私鉄の経営者どもも、減収に合わせて事業規模の縮小・人員大削減を画策しているのだ。

そして、医療・保健・介護・物流・保育・教育・ごみ収集などの「エッセンシャルワーカー」とされてきた労働者たちは、人員補充なき業務の増大をはかる経営当局によって、感染の危険にさらされながら、極限的な労働強化と低賃金を強いられつづけている。

このように〈パンデミック恐慌〉のもとで、いま独占資本家どもは、みずからの生き残りをかけて、労働者にたいして首切り・一時帰休・賃金カットなどのあらゆる攻撃を浴びせかけ、なおも労働者を奈落に突き落とそうとしている。そして経団連会長・中西宏明は、二一春闘をまえにして、「賃上げに一律に対応するような状況ではない」、「多様な働き方」や「生産性の向上」について「労使の間で議論」すべきだなどと居丈高に言い放っている。

彼ら独占資本家どもは、労働者にたいしてなおも首切り・賃下げの大攻撃をかけようとしているのだ。

さらに、「多様な働き方」の名のもとに「副業・兼業」についても「認める」として推進したり、「雇用契約にあたらない」とみなしている個人請負の労働者を増やしたりすることを狙っている。これらによって労働時間の規制や労働者としての保護規定を事実上なきものにしていくことを狙っているのが、極悪非道な独占資本家どもなのだ。

Ⅲ　既成指導部をのりこえる戦闘的労働者・学生の闘い

いま日本の労働者・人民、とりわけ非正規雇用労働者の多くが、職なし・家なし・食糧なしという状態に突き落とされている。政府の発表でさえ、「コロナ解雇」を被った労働者は今年に入って八万人（累計）を超えた。年末年始には多くの労働者が、困窮者に食糧を提供するＮＰＯ（非営利組織）などの取り組みに救いを求めてきている。

だが、このような呻吟する労働者・人民をまえにして、「連合」指導部は、「労働相談」などを開催しているだけではないか。彼ら労働貴族どもは、人民見殺しの菅政権を弾劾することもなく、逆に〝国難〟にさいして「政労使協議」をやりましょう〟と要請しているありさまなのだ。「救国」産業報国会としての正体を恥ずかしげもなくさらけだしているのだ。

他方、「全労連」日共系指導部は、今年の四月までを「総選挙躍進特別期間」と位置づける日共中央に従って、今春闘をも市民主義的・議会主義的にねじ曲げようとしている。

こうした既成諸政党・労組指導部の腐敗を突き破り、菅政権の反動攻撃をうち砕くために奮闘しているのが、わが同盟とともにたたかう革命的・戦闘的な労働者・学生にほかならない。

わがたたかう労働者たちは、「三密回避」などを口実にして労働組合の弱体化や破壊を狙う会社経営者や事業所当局による「集会禁止」「会食禁止」「会場使用禁止」などの弾圧にたいして、労組指導部の弱腰対応をのりこえるかたちにおいてこれを粉砕しつつ、「賃金カット反対」「全額休業補償せよ」「増員せよ」などの要求を突きつけてたたかってきている。そしてわが仲間たちは、創意工夫して〝膝詰めオルグ〟などを展開し、職場会議や集会をかちとりつつ、組合組織を強化してきているのである。

また全学連のたたかう学生たちは、「休講措置」でキャンパスが閉鎖され学生（とりわけ新入生）に会えないという困難な状況のなかでも、大学当局の自治破壊を許さず様ざまな工夫をこらしてサークル活動や自治会活動を展開し、あるいは対面で・あるいはリモートを活用して学生大会や大学祭を種々の形態で実現してきている。そしてこうした取り組みをつうじて、学生たちの圧倒的共感をかちえてきているのである。

そしていまわが革命的左翼は、菅政権のデタラメきわまりない「コロナ対策」と労働者・人民見殺しの「経済再生策」を弾劾し、政治経済闘争とともに反戦・反ファシズムの闘いをつくりだし、菅日本型ネオ・ファシズム政権そのものの打倒をめざしてその戦列を整えているのだ。

Ⅳ　「連合」「全労連」指導部をのりこえ二一春闘の高揚をかちとれ

新型コロナの感染爆発のなかで、独占資本家どもが、みずからの生き残りのためにますます労働者階級に犠牲を強要し困窮地獄に突き落としつつある今日、われわれは断固たる反撃にうってでなければならない。今二一春闘を日本労働者階級の反転攻勢の突破口たらしめること、これがわれわれの決意でなければならない。そしてそのためにこそわれわれは、現在の社会的経済的政治的危機にたいする「連合」および「全労連」指導部の反労働者的対応を暴き、弾劾し、のりこえていくのでなければならない。

A　「政労使協議」にすがりつく「連合」労働貴族を弾劾せよ

今二一春闘をまえにして、「連合」指導部はいかなる方針をうちだしているのか。その特徴は以下のようなものである（引用は二〇二一年版『連合白書』など、強調は引用者）。

まず第一に、春闘の「意義と目的」などと称して、「持続可能な社会を実現していくために政労使があらゆる機会を通じて対話を重ねることが重要」であるなどと力説し、首相・菅や経団連会長・中西らに「政労使会談」を呼びかけていることである。

このことは、春闘とはもはや従来のような「賃金闘争」ではなく、「社会のあり方」を含めた諸課題をめぐって、「ナショナルセンター」としての「連合」の指導部と政府と独占資本家とが会談することである、というように、彼ら労働貴族が表明したことを意味する。「連合」労働貴族は、「コロナ禍によって明らかとなった社会の脆弱さを克服」することで「持続可能な社会」をめざすという〝コロナ後の社会像〟を労働貴族の側からも提起し、経団連や菅政権の標榜する「サスティナブル（持続可能）な資本主義」を支えることを申し出ているのだ。彼ら労働貴族は、独占ブルジョアどもと同様に、日本にとっての〝国難〟を今回のコロナ・パンデミックと「少子高齢化」ゆえの労働力不足や「第四次産業革命の立ち遅れ」であるとみなして、二一春闘を〝国難突破のための政労使協議〟の場へとねじ曲げようとしているのだ。

そして第二に、「賃上げ要求」よりもまず「〔春闘の〕取り組みに向けた基盤整備」をすべきことをわざわざ掲げていることである。その内容は、①「社会全体で雇用の維持・創出」ができるような「セーフティネット機能を強化」すべきこと、「連合」も「コロナ禍における雇用・生活対策本部」をつくってセーフティネットづくりを担うということ、②「消費者のマインドにプラスワン」を謳い文句にして、「消費者でもある」労働者が、個人消費を増やし「商品やサービスに込められた価値を共有」しようというように、〝消費喚起運動〟を労組として呼びかけること——このようなシロモノである。

第三には、「賃金」については、「賃金水準要求」として、「底上げ」の「要求内容」を「二％程度の賃上げ」というように、昨年と同様の文言を今年も出してはいる。だがこれは、傘下の中小企業諸労組などからの突き上げを受けて従来の取り組みとそれほど〝断絶〟はないかのようにごまかすために、一応は掲げてみせた〝お題目〟にすぎない。

当初「連合」指導部は、「底上げ・底支え・格差是正」（昨年「定義し直した」と称するそれ）のなかから「底上げ」については「重点項目」からはずしていた。だが、この賃上げ要求を放棄する露骨な姿勢にたいして、下からの非難が巻きおこった。そこで彼らは、慌てて「底上げ」を「方針」に加えはした。しかしその内実は、「それぞれの産業において最大級の『底上げ』に取り組む」などというように、要求内容をどう出すかは各産別まかせにし、「連合」指導部としては統制も指導もおこなわない、というものであった。そして彼らは、「コロナ禍」を口実に戦闘配置も明確にせず、また闘争形式も「リモート」活用を推奨し、さらに団体交渉も団体行動も指示しようとはしていないのだ。

「救国」産業報国会として純化した「連合」を脱構築せよ！

このような「連合」労働貴族どもの掲げる「春闘方針」――それは実に反労働者的なものではないか。「連合」指導部はいまや、闘争ではなく〝政労使の話し合い〟こそが今日の「春闘」であるというように、〝春闘の転換〟を菅や中西に向かって臆面もなく意志表明しているのである。〈企業別労組の産別勢揃い〉としてたたかわれてきた日本型賃金闘争としての春闘。これを完全に破壊しさったうえに、労働者たちの闘いの一切を封じこめ〈政労使協議〉に埋没しようとしているのが、階級的裏切り分子の神津里季生ら「連合」指導部なのだ。

昨年「コロナ不況」を理由にして数多の労働者が首を切られ、いままた正規雇用労働者たちの多くも「希望退職」などのかたちで首切り攻撃を受けている今日このときに、労働組合がたたかわずしていったいどうするのか！　資本家どもが労働者の首を切ること自体には反対せず、解雇された労働者の再就職の支援や職業訓練を充実させるべきことを資本家どもにお願いし、労組としても協力して〝スムーズな労働移動〟を促そうとしているのが、今日の「連合」指導部なのだ。

かつて一九九〇年代の独占資本によるリストラ・首切り攻撃にたいして、これに反対することもなく、「第二労務部」として大企業労組指導部が〝スムーズなリストラ〟に協力することを支持してきたのが「連合」指導部であった。いままた、「コロナ不況」を理由にかつてないほどに労働者が首切り・賃下げ攻撃に見舞われている今日このときに、労働者を見殺しにする労組指導部は、労働者階級の底力でなんとしてもぶっとばさなければならないのだ。

彼ら労働貴族どもは、「コロナ不況」による首切りを容認し、それを「失業なき労働移動のための再就職マッチング」なるもので補完しようとしているだけではない。中長期的には、「より生産性が高く賃金が相対的に高い良質な雇用を増やす」などと称して、解雇された労働者が「デジタル成長企業」に再就職できるような仕組みをつくることを、政府と資本家に要請している。「脱炭素」技術開発や〝デジタル合理化〟を進める企業を「成長企業」として支援しつつ、中小・零細企業の再編淘汰を促そうとしている日本政府・独占ブルジョアジーの産業再編策に、彼ら指導部は労働組合として呼応し協力していこうとしているのだ。

同時にわれわれは、「連合」労働貴族どもによる賃上げ要求の放棄を怒りを込めて弾劾しなければならない。彼らは、労働者は「消費者でもある」などと意味づけつつ、〝苦境に立つ諸企業の救済のために消費者として消費拡大に努めよ〟などと叫び、これがあたかも今春闘の課題でもあるかのようにおしだしている。今日の彼らの主張は、文字どおり消費喚起を労組として呼びかけるというものである。彼らは、〝消費拡大を促すためにも賃上げを〟という従来の主張さえをも後景におしやっている。賃上げ要求を放棄しさったうえで労働者にむかって消費を拡大せよなどと説教するとは！　これぞまさしく労働貴族どものみがよくする反プロレタリア的タワ言ではないか。

「一人ひとりの消費者」としての「倫理的な消費行動」を呼びかけている今日の「連合」指導部は、

労働者の階級的団結の公然たる破壊者であるといわなければならない。今日版「産業報国会」たる「連合」の親玉の座に座る彼ら労働貴族どもは、まさしく独占資本の完全な手先なのだ。

新型コロナウイルスのパンデミックのもとで、資本家によって首を切られ食べ物も家もなくしたおびただしい数の労働者が、飢えと寒さに苦しんでいる。だがこのときに、労働者に犠牲を転嫁した独占資本家や大株主は巨大な利益をむさぼり、パンデミックのなかで逆にその富を増大させている。大企業の内部留保は四七五兆円にまで膨らんだではないか。株価はこのかん空前の高値をつけ、一月七日の「緊急事態宣言」発出の日にも異常に高騰したではないか。

貧しき者はますます貧窮化し富める者はますます富むことが、誰の目にも明らかになっている。いまや資本主義の悪がむきだしになっているのだ。それにもかかわらず、〝新自由主義の行き詰まりを超えた「サスティナブル（持続可能）な資本主義」をめざす〟などというブルジョア階級の階級的利害丸出しの〝理念〟に屈服しているのが、「労資政一体化」イデオロギーに骨の髄まで冒されている「連合」労働貴族なのだ。

わが革命的・戦闘的労働者は、資本家階級と現存支配秩序に迎合する「連合」指導部を弾劾し、今春闘の戦闘的爆発をかちとるのでなければならない。そしてこの闘いのただなかで・またこれをつうじて、組合内の革命的ケルンを強化拡大し、それを基礎として「連合」を下から食い破り、「連合」そのものの脱構築をかちとり労働者階級の団結の形態としての労働組合の戦闘的再生をたたかいとっていくのでなければならない。

B 「全労連」日共系指導部による春闘の議会主義的歪曲をのりこえて闘おう

他方、「全労連・国民春闘共闘会議」のうちだしている今春闘方針は、いかなるものか（引用は『二〇二一年国民春闘白書』、強調は引用者）。

「全労連」の日共系指導部は、二一春闘の目標のようなものとして、「公正な新しい社会への転換」を掲げている。そしてこの「新しい社会への転換」のために、「四つのつくる行動」と「三つの戦略〔アプローチとも言う〕」なるものを提起している。いわば目あたらしい形式で春闘の課題らしきものをあげてみせているのである。

「四つのつくる行動」とは、①「まともな生活（賃上げ・消費税減税・社会保障充実）、②「安定雇用」（雇用守る・休業補償など）、③「いのち守る公共体制」（ケア労働の充実など）、④「改憲阻止・平和」（総選挙で新しい政権を）、である。

だがこれは、春闘の課題というより、政策の代案（日共中央のめざしている「野党連合政権」のうちだすべき政策）のようなものの羅列にすぎない。

また「三つの戦略」とは、①「（ジェンダー・非正規など）格差の見える化」、②「（労組の拡大強化）労働組合の見える化」、③「（総選挙・憲法生きる新しい政権）投票に行こう」、である。

日共中央に忠実な指導部たちは、なかでも③を強調し、「九月までに総選挙……政治を大きく変えるチャンスだ」とか『『投票に行こう』のキャンペーン」で「政治を変える取り組みへの参加を呼びかけよう」とかと呼号している。「総選挙に向けた取り組み」に力点をおいた「方針」をうちだしているのである。

日本共産党中央はいま、次期総選挙を「野党連合政権をつくる歴史的意義がある」選挙であると位置づけている。そして昨年十二月の二中総から今年の四月末までを「総選挙躍進特別期間」とし、「比例代表選挙で八五〇万票」をとることを目標にして〝「二千万対話」と党勢拡大をやれ〟というように、下部党員に号令をかけているのである。委員長・志位和夫は、「たとえば辺野古新基地建設をどうやって止めるか。これを一番早く解決する道というのは政権交代です」とか「〔日共の政策提案の〕どの項目をとっても、政権交代こそが、その実現の早道であるということを強調したい」とかと言う。反戦平和の運動や政治経済闘争などへの取り組みの一切を放棄して選挙の集票活動に完全に埋没することを宣言しているのが、にわかに政権交代の幻想にとりつかれた日共中央なのである。

そしてこの党中央につき従う「全労連」日共盲従指導部たちは、今春闘において労組として〝かちとるべきもの〟を設定できないありさまである。彼らは「春闘の課題」を、ただただ日共や野党共闘の候補が掲げるべき政策のようなものに解消してしまっているのだ。日共候補らが掲げる「平和」「安全保障」などの政策代案じたいも、いまや度し難いほどに右翼的・反労働者的なものではないか。今日の日共中央は、もしも「野党連合政権」に加わるならば「自衛隊は合憲の憲法解釈をとる」とか「急迫不正の侵害にたいしては安保条約第五条にもとづいて対処する」とかと公言してはばからない。この彼らはいまや、反戦・平和の取り組みを放棄し、「自主自立の平和外交」なる反労働者的・反人民的な代案の宣伝に一切の闘いを解消しているのだ。

だがいうまでもなく、数年に一度のブルジョア選挙でたとえわずかに議席を伸ばせたとしても、また「反自民」の人々を増やしたとしても、ブルジョア階級国家を打ち倒すことはできない。それは、現代革命の主体であるプロレタリアの階級的組織化を進めることなしには不可能なのである。一九八〇年代に「連合政府」を夢見て「自衛隊容認」などの右旋回をし、その後急速に没落して今日では完全に消滅してしまった日本社会党。この社会民主主義の党の後塵を拝しているのが、今日の日本共産党なのだ。もっともソ連スターリン主義の崩壊以降の今日の日共は、「まずは資本主義の枠内での解決」を求め、「根本的な解決の道は社会主義」ということはただ「大いに語って」いくかぎりのものにしてしまっている。すなわち、「社会主義」を彼岸におしやったうえで、どのような現実形態をとろうとも本質的にブルジョア政権にすぎない「野党連合政権」をめざすだけのいわば「修正資本主義の党」にまで変質しているのである。

こうした違いがあるとはいえ、われわれは、日本社会党にたいする同志黒田の当時の批判を、今日の代々木党中央に投げつけることができる。

労働者・勤労人民を「政策」という餌で操作するという構造改革的な発想とこれにもとづいた「連合」政策では、連合政府の樹立はもちろんのこと連合そのものの形成も不可能となる。もろもろの運動のただなかで、もろもろの運動を媒介として、この運動の担い手たちを思想闘争によって鍛え高めるための不断の闘いが欠如しているならば、「社会主義政権」は永遠の彼岸にとどまってしまうのである。（黒田寛一『革新の幻想』こぶし書房刊、四七頁）

われわれは、選挙で政権交代を実現するという幻想にとりつかれ集票活動への埋没を号令する日共中央にたいするイデオロギー的＝組織的闘いを、今こそ強化しなければならない。「全労連」の内部でたたかう革命的・戦闘的労働者は、「野党連合政権」樹立のために立憲民主党にすりより政策の代案をますます右翼的なものに緻密化しているこの日共中央の犯罪性を完膚なきまでに暴露し、日共中央とこれへの盲従分子への造反を組織するのでなければならない。

「全労連」日共系指導部による今春闘の市民主義的・議会主義的歪曲を許さず、たたかう労働者は、今春闘の左翼的高揚をかちとろう。その闘いのただなかで「全労連」傘下諸労組の戦闘的・良心的組合員を、転向スターリニストの軛から解き放ち、わがたたかう戦列にどしどし組織化しようではないか。

Ⅴ　春闘勝利！　菅ネオ・ファシズム政権を打ち倒せ！

昨二〇年、新型コロナウイルス・パンデミックがおこり、各国の権力者は国境封鎖・都市封鎖・人民の外出と移動の制限をおこなった。これらにより世界中で物質的生産の縮小・途絶とサプライチェーン（供給網）の寸断が相乗的に広がるとともに、観光・宿泊・飲食などのサービス産業やイベントなどのレジャー産業、小売店などの商業は突然の〝需要の蒸発〟に見舞われた。

実態経済のこの突然の破局的危機に直面した各国の独占資本家どもは、みずからの延命のために、労働者の大量解雇と賃金削減を強行した。また中小企業はおしなべて倒産の危機に瀕し、おびただしい数の飲食店や宿泊施設が廃業・休業に追いこまれた。そして労働者が路頭に放り出された。現代帝国主義経済はまさに〈パンデミック恐慌〉に突入したのである。

経済的破局を回避するために国家が種々の規制を緩めれば感染が拡大し、それを強めれば経済が凍りつくという、まさに悪循環がいま進行している。そしてそのたびに、労働者が路頭に放り出されているのだ。

まさにこうした労働者階級の悲劇的な現実の真っただなかで、日本の労働者階級はいま、二一春闘に臨もうとしている。わが労働者階級は、今春闘をたんなる賃金闘争に終わらせることなく、資本家階級とその政府にたいする労働者階級の強烈な反撃の突破口たらしめるのでなければならない。

わが革マル派ならびにこれとともにたたかう革命的・戦闘的労働者はそれゆえに、春闘の最先頭でたたかうとともに、職場において・さらに地域社会において、組合員だけでなく非正規を含む共に働く労働者や無念にも解雇された仲間たちに向かって問いかけよう――「生きるためには食わねばならず、食うためには自己の労働力を商品として日々資本家に販売しなければ生存できない」労働者とはいったいいかなる存在なのか――と。われわれは、彼らが被雇用者意識から脱却して階級意識をわがものとし共に起ちあがるように働きかけていかねばならない。そして、労働者階級の一大反撃として今春闘の高揚をかちとるのでなければならない。

困窮人民の生活を補償せよ！

われわれは、今春期において、以下の闘いを組織するのでなければならない。

まず第一に、菅政権の感染対策放棄・人民見殺しを怒りを込めて弾劾し、政府に医療福祉・保健衛生の現場への援助と困窮する労働者・人民への生活補償を直ちにやらせることである。

菅政権の反人民的なコロナ対策と経済対策のゆえに、日本の労働者・人民の多くが貧困と病苦にたたきこまれている。失業者は何の救済措置も受けられないまま、突然の病死者や自殺者が後を絶たない。コロナの感染者も重症者も医療を受けられない。相次ぐコロナ感染者の増大に比して対応できる病床・人員・予算が不足し、行き場のない病人が巷にあふれるという医療崩壊も深刻化している。この事態をまねいた一切の責任は菅政権にあるのだ。

菅政権は、労働者・人民の生活と医療を直ちに補償せよ！

生存の危機に瀕する失業者や「社会的弱者」を緊急に支援せよ！　困窮する非正規や個人請負労働者にたいして直接無条件に生活補償せよ！

いま直ちに、病院・保健所・検査機関に、予算・物資・人員を援助せよ！

社会保障切り捨て反対！　医療費自己負担・介護サービス利用料を無償化せよ！　消費税を撤廃せよ！

われわれは、これらを菅反動政権に断固として突きつけてたたかうのでなければならない。

第二にわれわれは、独占資本家どもによる労働者の首切り・雇い止め・賃金切り下げを許さず、大幅なかつ一律の賃上げを要求してたたかわなければならない。

われわれは、「コロナ不況」を口実として賃金を大幅に切り下げようとしている資本家どもにたいして、闘争放棄を決めこむ既成労組指導部を弾劾しつつ、今こそ「大幅一律賃上げ獲得」をめざしてたたかうのでなければならない。

また資本家どもの首切り攻撃をまえに〝スムーズな労働移動〟を政府や資本家に要請するにすぎない「連合」労働貴族を断じて許してはならない。資本家どもによる労働者への首切り・転籍・出向・配転の攻撃を断固うち砕け！

第三にわれわれは、菅政権のネオ・ファシズム反動諸攻撃をはね返し、反戦反安保・反ファシズムの闘いをおしすすめるのでなければならない。

米中〈冷戦〉のもとで、いまアメリカ帝国主義のバイデン新政権は、「市場社会主義国」中国の対外膨張を押さえこむために、アジアでは日本（および豪）を・欧州では（ついにEUから離脱したとはいえ）イギリスを、いわば両輪として、中（露）を包囲する軍事体制を立て直そうと躍起となっている。そのなかで菅日本型ネオ・ファシズム政権は、日米安保同盟の鎖につながれたアメリカの「属国」として――経済的には中国との関係強化を熱願しながら同時に軍事的には――「強固な日米同盟」の名において対中攻守同盟を強化しようとしているのだ。菅政権が、初の国産長距離ミサイル開発費用などを含めた過去最大の五・三四兆円の軍事費を――二〇〇〇億円以上の米軍への「思いやり予算」とともに――予算計上したことは、その意志表明にほかならない。

われわれは「反安保」を放棄し「平和外交」の政策対置にうつつをぬかす日共翼下の「平和運動」をのりこえ、反戦反安保・反ファシズムの闘いをつくりだすのでなければならない。

辺野古新基地建設絶対阻止！

日米軍事同盟の対中攻守同盟としての強化反対！

先制攻撃体制の構築を許すな！

憲法改悪絶対阻止！

「コロナ特措法」改定・「感染症法」改定における時短営業に応じない事業主・入院を拒む感染者などへの罰則規定に反対せよ！　国家による人民への統制強化を許すな！

学界・報道諸機関への強権的支配・統制を許すな！

∧鉄の六角錐∨の強化＝ネオ・ファシズム支配体制の強化をうち砕け！

第四には、これら一切の闘いを集約し菅ネオ・ファシズム政権の打倒をめざしてたたかうことである。

独占資本の救済にのみ血道をあげ、「新型コロナ感染対策」を完全に放棄し、まさにこのゆえに第三波の未曽有の感染爆発を引き起こした菅政権。にもかかわらず「自助」を声高に叫び困窮する人民を見殺しにする菅政権。そして人民には「五人以下の静かなマスク会食」「勝負の三週間」を呼びかけておきながら、みずからは昨秋九度にわたって大人数でステーキ会食などを楽しみ、あまつさえ「第三波が起きたのは国民の危機意識が薄れたから」（一月五日）などと平然と人のせいにするマキャベリストにして幼児的自己中心主義の破廉恥漢。いまや全人民の怨嗟と憤怒の的となっているこの菅政権を、労働者・学生・人民の実力で一刻も早く打倒しようではないか！

労働者階級の国境を超えた団結を！

今春闘の高揚を切り拓くために、わが革命的・戦闘的労働者はいま、それぞれの場において、いかなる組織活動を展開しいかなる論議をくりひろげるべきか。

いま資本家どもは、労働者にテレワークを強制したり自宅待機を強制したり、業務の単位をこえて労働者が会うのを禁止したりしている。そして、こうしたかつてない労働者の分断のなかで、この機に乗じて組合活動の妨害や組合組織の破壊を企んでいる。

職場集会はもちろん組合会議さえもが経営者・管理者から妨害されたり禁止されたりしている厳しい状況のもとで、労働組合員であるわがたたかう仲間たちは、「リモート会議」を推奨する労組指導部を批判し、職場の仲間を組織して対面の職場会議や職場集会などをかちとっていかねばならない。そのためにわが革命的・戦闘的労働者は、縦横無尽にフラクション活動を展開し、職場生産点に革命的ケルンを創造するのでなければならない。

また感染の拡大期にあって、人と人との分断・会話の遮断・コミュニケーションの途絶が推奨されている今日、労働者たちは孤立化したりニヒル化したり、時には他の労働者への排外主義的意識に陥ったりすることもないとはいえない。こうした労働者たちにたいしても、わが革命的・戦闘的労働者はうまずたゆまず働きかけ、彼らに労働者階級の一員としての自覚を促し階級的な団結を創りだしていかねばならない。

わが革命的・戦闘的労働者は、あらゆる機会を活用して組合員たちと話し、「格差と失業と階級対立の問題」「階級と国家と戦争の問題」「地球温暖化と環境破壊の問題」、さらに「資本主義と社会主義の問題」「社会主義とスターリン主義の問題」すなわち「アフター・コロナ社会とはいかなる社会であるべきかという問題」など、様ざまの問題についても論議しようではないか。

現在の〈パンデミック恐慌〉のもとで、独占資本家どもは内部留保を膨らませ、株主たちは株の高騰に酔いしれている。中央銀行は大量の国債を買って厖大なマネーを市中にばらまくとともに、自身が株を買って株価をつり上げている。そのなかでブルジョアどもは――ゼロ金利のゆえに国債では金儲けできず・「コロナ不況」のゆえに不動産でも金儲けができないがゆえに――有り余るカネをもっぱら株につぎこんでいる。このゆえに、〈パンデミック恐慌〉のなかにありながら異常な株高が現出しているのだ。

だが、大量の失業者が巷にあふれつつある一〇〇年に一度というべき現下の事態こそは、まさに現代帝国主義経済がどんづまりの危機にあることを告知するものにほかならない。

ソ連邦の崩壊以降、アメリカ帝国主義は経済のグローバル化を全世界に押しつけたのであったが、帝国主義諸国が低成長に沈むなかで、アメリカや日本の諸独占体は、コスト削減によって利潤の増大をはかるために、安価な労働力を求めてこぞって生産拠点を海外に移した。そして国内では生産拠点を統廃合して労働者の大量首切りを強行し、国内製造業の空洞化を進行させた。まさにこの過程で、激増したのが非正規雇用労働者であり、製造現場から放り出された労働者の「雇用の受け皿」として肥大化したのが、飲食・観光・レジャーなどのサービス産業であり、コンビニなどの小売業であった。

この現代資本主義において激増する非正規雇用労働者たち、またサービス産業・レジャー産業で働く労働者たちは、超低賃金で使い捨てにされる存在に突き落とされている。彼らは、好況期には諸独占体に雇用され、不況になると真っ先に首を切られる存在であって、このようなものとしてそれは、産業予備軍（相対的過剰人口）の今日的形態にほかならない。独占資本家どもはみずからの延命のために、今日版産業予備軍として現代資本主義のなかに構造的にビルトインしてきたこの非正規雇用労働者たちを、現下の「コロナ不況」のなかで大量に路頭に放り出しているのだ。このことはいわば資本主義がみずからの首を絞めていることを意味する。独占資本家どもはおのれの延命に狂奔すればするほどみずからの墓掘人をうみだしているのだ。

明らかに資本主義は末期症状を露わにしている。だが、このパンデミックによって露わとなった末期資本主義の死の痙攣にとどめを刺すのは、疎外された自己の本質に目覚めた賃労働者たちの階級的に団結した闘争以外にはありえないのだ。

すべての労働者諸君！

今こそ労働者・人民に困窮を強制する独占資本家とその政府に反撃せよ。労働者・学生の実力で菅日本型ネオ・ファシズム政権を打ち倒せ！

貧困と病苦と圧政と戦火に抗してたたかう全世界の労働者・人民と連帯し、帝国主義の犯罪性とスターリン主義の虚偽性に目覚めた労働者階級の国境を超えた団結を創造し、＜反帝国主義・反スターリン主義＞の旗のもとに革命の新時代を切り拓くためにたたかおう！

（二〇二一年一月九日）

〔付記〕その後政府は一月十三日に大阪府・京都府などの二府五県にも緊急事態宣言を発出した。

日米の対中国攻守同盟強化を阻止せよ

統合実動演習「キーン・ソード21」

史上最大規模の日米共同マルチドメイン作戦演習

日米両権力者は、二〇二〇年十月二十六日から十一月五日にかけて日本国軍とアメリカ軍による日米共同統合実動演習「キーン・ソード21」を日本全国の自衛隊基地・演習場および在日米軍基地、日本周辺海空域・無人島などにおいて過去最大規模の総勢四万六〇〇〇人を動員して強行した。自衛隊は、陸・海・空の隊員三万七〇〇〇人と海上自衛隊ヘリ空母「かが」をはじめ艦艇約二十隻、航空自衛隊航空機約一七〇機などを投入した。米軍は陸・海・空・海兵隊の九〇〇〇人とロナルド・レーガン空母打撃群の艦艇・艦載機などを投入した。（カナダ海軍のフリゲート艦一隻も参加。）

統合幕僚監部は、このきわめて大規模な実動演習の目的を「武力攻撃事態等における……自衛隊の即応性および日米の相互運用性の向上を図る」ことと謳い、「訓練項目」として以下の八項目を挙げた――①水陸両用作戦、②陸上作戦、③海上作戦、④航空作戦、⑤統合後方補給、⑥サイバー攻撃等対処、⑦統合電子戦、⑧宇宙状況監視。この「キーン・ソード21」は明らかに、陸・海・空のみならず宇宙・サイバー・電磁波の全戦闘領域において統合的・同時的に作戦を展開するという米軍の「マルチドメイン作戦」構想にのっとったものであり、日米共同の対中国戦争遂行体制を構築・強化する実戦的訓練にほかならない。

「かが」艦上の在日米軍司令官と自衛隊統幕長

　演習初日の十月二十六日に在日米軍司令官シュナイダーは、海自ヘリ空母「かが」艦上において、つぎのように発言した。「統合運用の新たな方法を確立するこの共同訓練は、日米同盟の強化を明確にしめしている」と。さらに、みずからが統合幕僚長・山崎幸二とともに特殊作戦仕様の米空軍オスプレイCV22に搭乗して米軍横田基地を飛び立ち、四国沖を航行中の「かが」に着艦したことを引き合いに、「米日の統合作戦能力を、尖閣諸島防衛のための部隊輸送に今後使うことがあるかもしれない」と語った。あえて「尖閣」に言及し、今回の史上最大規模の日米共同演習がまさに中国を仮想敵国とした戦争準備であることを公然としめしたのだ。

「EABO（遠征前方基地作戦）」の実地訓練

「キーン・ソード21」において日米両軍は、主要には以下のような実戦的訓練をくりひろげた。

　十月三十日から十一月一日にかけて日米両軍は、鹿児島県の無人島・臥蛇《がじゃ》島を舞台にして、「水陸両用作戦」と称する敵地強襲上陸演習を強行した。陸上自衛隊「水陸機動団」一〇〇人と在沖米海兵隊四十人が、海自ヘリ空母「ひゅうが」、大型揚陸艦「おおすみ」「くにさき」、米海軍ドック型揚陸艦「アシュランド」に搭載した日米両軍の上陸用舟艇LCACや水陸両用装甲車AAV7、ボートで強襲上陸し、CH47ヘリやMV22オスプレイで兵員・装備を輸送した。周辺空域を空自F2戦闘機が飛行し、沖合には日米の艦船が展開するなどの〝援護態勢〟をとりながら。

日米両権力者は、尖閣領有化の策動をエスカレートさせている中国・習近平政権を牽制するために、地形が尖閣諸島に似ているといわれる臥蛇島を演習場所に選び、「島嶼奪還作戦」訓練を大々的にくりひろげたのだ。

臥蛇島をはじめとして、南西諸島全域において日米両軍はいっせいに上陸訓練を実施した。奄美大島、種子島、沖永良部島、徳之島で、さらに沖縄本島、久米島、宮古島、最西端の与那国島でも訓練をおこなった。また大分県の日出生台演習場を離島に見たて、陸自西部方面隊、水陸機動団など四五〇〇名が車両一四〇〇台を使用して部隊配置、陣地構築などの訓練を実施した。

同時に、米軍の高機動ロケット砲システムHIMARSの迅速展開訓練を沖縄金武町レッドビーチ訓練場で実施し、空自C2輸送機による陸自・中距離対空ミサイルのレーダー車輸送訓練をおこなった。

これら「第一列島線」上の沖縄・南西諸島などでくりひろげられた一連の上陸訓練・ミサイル部隊展開訓練は、〝海兵隊が前線の要衝を制圧し前方基地を一時的に構築する、もって地対艦・地対空ミサイルや電子戦部隊による電磁波攻撃などで敵軍の作戦行動を封じ、海・空の米軍部隊の優勢を確保する〟という米国防総省の「遠征前方基地作戦」＝EABO構想にのっとった実地訓練にほかならない。

日本の戦場化を前提とした米軍基地防衛・修復訓練

今回の演習において日米両軍は、日本全国にある

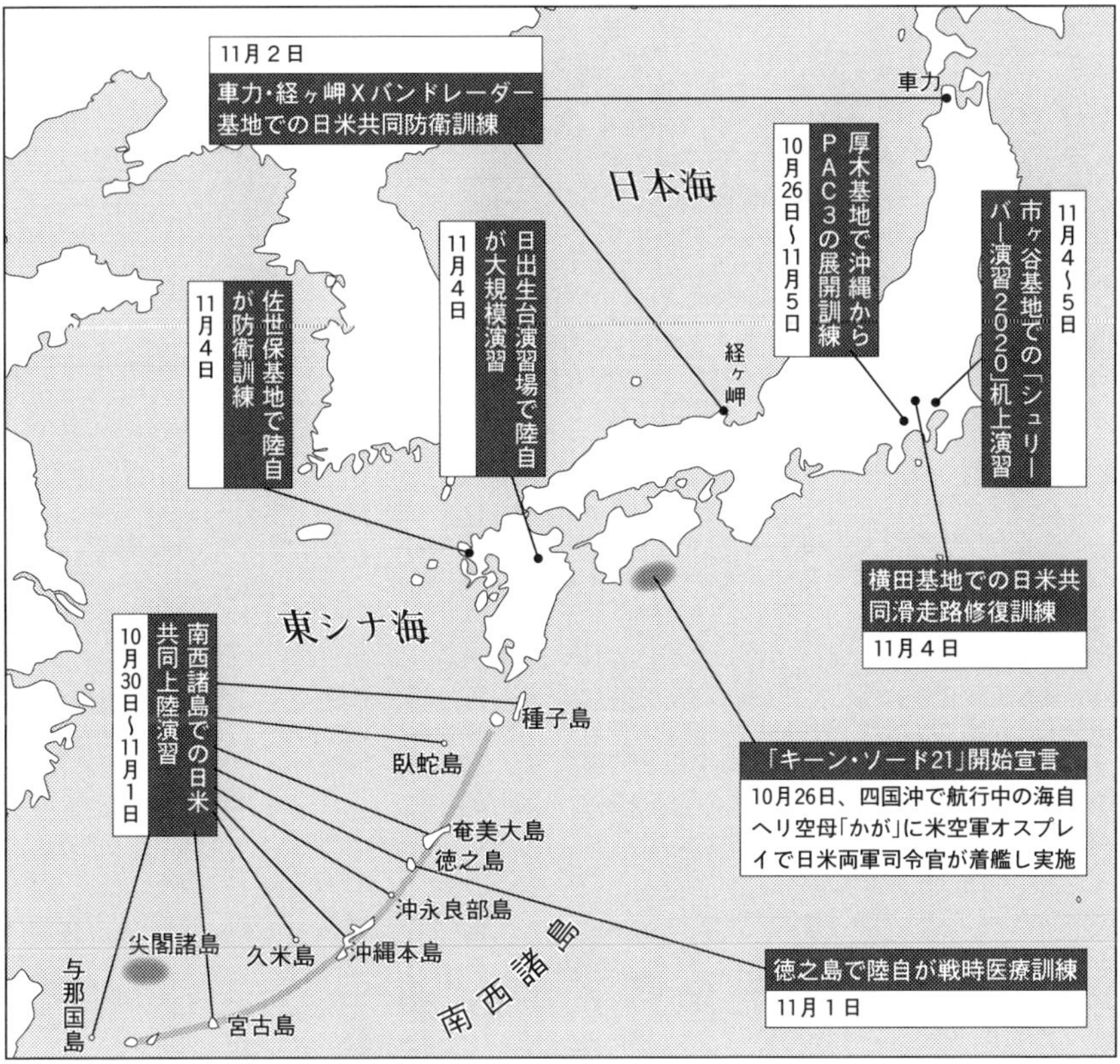

日本全土・周辺海空域で強行された「キーン・ソード21」

在日米軍基地や施設を防衛する訓練や破壊された滑走路を修復する訓練、さらに戦時医療訓練などを大々的に実施した。

敵軍の攻撃や破壊工作からレーダー基地＝指揮・通信網を防衛する訓練が重点的に実施された。ＭＤ（ミサイル防衛）システムの〝眼〟をなす米軍Ｘバンドレーダーを配備している京都府経ヶ岬通信所と青森県車力通信所においては、米日両陸軍部隊による爆発物処理・ドローン対処などの基地防衛訓練を実施。青森県には沖縄県から米陸軍パトリオット部隊が展開した。

米軍横田基地において日米両軍が共同して滑走路の修復訓練をおこなった。米軍厚木基地には沖縄の嘉手納基地から迎撃ミサイルＰＡＣ３を展開。奄美空港に移動式管制塔をもちこみ〃臨時基地〃として空自Ｃ２輸送機や米海兵隊の対戦車ヘリを運用する訓練。これらは、二〇〇〇発の中距離弾道ミサイルを有する中国軍による攻撃によって在日米軍基地の滑走路が使用不能＝戦闘機が出撃不能になるという事態を想定し、これに機動的に対処するための訓練だ。

滑走路が破壊されたことを想定して空自隊員が復旧訓練（20年11月４日、米軍横田基地）

さらに、陸自が鹿児島県徳之島に「野戦病院」を設置し、戦闘地域での「負傷者」をヘリで熊本県に搬送する過去最大規模の戦時医療訓練を実施した。医療環境が整っていない離島——中国軍を迎え撃つ対艦・対空ミサイル拠点とされる南西諸島——が攻撃を受けた場合の応急処置・搬送の実地訓練を、初めて実施したのだ。

右のような基地防衛・修復や野戦病院設置の実動訓練がいっせいに実施されたことに、中国軍によって在日米軍や日本国軍の基地が攻撃され・日本が戦場と化すことをも想定して米日両権力者が対中国戦争の作戦計画を練りあげていることがしめされているといわなければならない。

空母艦載機部隊が連日の洋上離発着＝敵地攻撃訓練

米海軍空母ロナルド・レーガンと海自ヘリ空母「かが」を中心とした「艦隊航行」訓練が「日本周辺海域」において実施された。空自は一七〇機もの航空機、米空軍は空母ロナルド・レーガン艦載の「第5空母航空団」や米空軍嘉手納基地所属の戦闘機など一〇〇機が「航空作戦」訓練に参加。その詳細は明らかにされていないが、洋上で空母艦載戦闘機の出撃・離発着訓練が演習実施期間中の連日にわたってくりひろげられた。

今回の「キーン・ソード21」における「航空作戦」訓練は、ＥＡＢＯ作戦構想にもとづいて南西諸島などの最前線に前方基地を構築する部隊（「インサイド部隊」）の迅速展開訓練と同時に展開されたのであって、空母艦載機などの航空機戦力が長射程の打撃力で敵基地を攻撃する戦力（「アウトサイド部隊」）として位置づけられていたのは明らかなのだ。

さらに、「キーン・ソード21」と同時的に実施されたアメリカ宇宙軍主催の多国間机上演習「シュリーバー演習二〇二〇」（日米のほか、豪、加、仏、独、英、ニュージーランドも参加）などの軍事衛星による敵国監視・ミサイル探知の訓練や、サイバー・電子戦訓練が展開された。

対中国の準臨戦態勢強化を許すな！

習近平の中国が尖閣諸島を占有・支配する策動を強め中国公船を頻繁に尖閣周辺海域に送りこんだり、軍事要塞を築いた南シナ海からさらに西太平洋へと空母艦隊が進出する動きを強めている。さらに空母の増強、極超音速兵器の開発・配備など核戦力の一大強化に突進している。この急速に米軍にキャッチアップしている中国軍を封じこめるために、日米両権力者は対中国の戦争遂行体制を構築・強化する実動統合演習を史上最大規模で強行したのだ。まさしく対中国攻守同盟としての日米新軍事同盟の飛躍的強化に血眼になっているのが、落日の軍国主義帝国とその「属国」の両権力者なのである。

日米両権力者による対中国の準臨戦態勢の強化を許すな！　対中攻守同盟＝日米新軍事同盟の強化反対！　米・日―中（露）の核戦力強化競争に反対する革命的反戦闘争をさらにおしすすめよう！

米軍指揮下で米日一体の臥蛇島ＥＡＢＯ演習

鹿児島県の無人島・臥蛇《がじゃ》島において在日米海兵隊部隊と海上自衛隊および陸上自衛隊水陸機動団とが「離島奪還」の名のもとに合同で実施した演習（二〇二〇年十月二十七日〜十一月三日）は、対中国の敵地強襲・ＥＡＢＯ（遠征前進基地作戦）訓練にほかならず、それは米日両権力者による日米新軍事同盟強化の現段階を集約的に表現するものとなった。この訓練は、新型コロナ感染症のパンデミックが始まって以来初の、かつ史上最大規模の日米共同統合実動演習「キーン・ソード21」（十月二十六日〜十一月五日）の一環として実施された。

空と海から強襲し制圧

十一月一日の早朝、航空自衛隊Ｆ２戦闘機部隊が臥蛇島上空を制圧するなか、島の十数キロ沖合を航行する〝日米合同揚陸艦隊〟の海自護衛艦「すずつき」が、水陸両用作戦を支援する艦砲射撃を開始。大型揚陸艦「くにさき」から陸自水陸機動団の水陸両用戦闘車両ＡＡＶ７が発進するとともに、小型空母「ひゅうが」を飛び立ったＣＨ47双発ヘリが水陸機動団の部隊を乗せて臥蛇島に着陸した。

同時に、米海軍のドック型揚陸艦「アシュランド」から、米第三海兵遠征軍の海兵隊部隊が小型ボートで海岸に強襲上陸し、内陸に侵攻した。さらに米海兵隊普天間飛行場からＭＶ22オスプレイ四機が鹿児島県の海自鹿屋《かのや》基地に展開し、そのうち二機が、揚陸艦「アシュランド」に着艦し海兵隊部隊を乗せて臥蛇島に着陸。両国軍の各部隊は「敵軍」を制圧したのちに合流して、「遠征前進基地」（ＥＡＢ）設営の訓練をおこなった。この臥蛇島強襲制圧訓練には、海自艦要員と陸自水陸機動団一〇〇名を含め日本国軍一五〇〇名と、米海兵隊四十名が参加したとされる。

米海兵隊ＨＩＭＡＲＳ陸揚げ展開の実動訓練

米軍はこの臥蛇島を米日両国軍合同で強襲制圧する訓練と同時に、ＨＩＭＡＲＳ《ハイマース》（高機動ロケット砲システム）の陸揚げ展開と撤収の実動訓練およびその射撃管制訓練を合わせて実施した。

すなわち、日米両国軍部隊が臥蛇島を制圧するあいだに、臥蛇島のはるか南方三二〇キロに位置する沖縄県金武《きん》町のキャンプ・ハンセンとうるま市のキャンプ・コートニーに設けられた移動式の指揮管制拠点において、米陸軍第一七野戦砲兵旅団の指揮官が第三海兵遠征師団および第一二海兵連隊の指揮官とともに、演習海域内の別の海岸に陸揚げされたＨＩＭＡＲＳによる海上および陸上の目標にたいする射撃の準備が完了したことを、指揮管制端末をつうじて確認したとされているのだ。

しかも、「米日両国軍の合同水陸両用作戦における統合指揮管制能力を向上させる」と称して、第三海兵遠征軍に所属する第五航空艦砲連絡中隊（註１）の「統合末端攻撃統制官」（註２）が、日本国軍水陸機動団のなかに組み入れられて海自艦船に乗船し、艦上に設けられた射撃支援調整センターとのあいだで「射撃調整」をおこなったという。それだけではない。米日

陸自水陸機動団と米海兵隊による臥蛇島での訓練

両国の水陸両用部隊が臥蛇島の強襲制圧とEABO演習を実施しているあいだに、第三海兵遠征師団第一大隊の指揮官と陸自第一五旅団（那覇基地）の指揮官とが、沖縄本島のキャンプ・フォスター（司令部の所在地は北中城村）と普天間飛行場とに設けられた「統合作戦センター」をつうじて、米陸軍・海兵隊両部隊が北部演習場でくりひろげたジャングル戦闘訓練を指揮する演習を実施したとされている。

第一列島線上の「分散作戦」に日本国軍を組みこむ

臥蛇島の強襲・制圧を中心にしたこの日米合同演習は、米海兵隊が海自艦の艦砲射撃やＨＩＭＡＲＳの射撃管制を含めて日本国軍部隊を完全に米軍の指揮統制のもとに組みこみ、第一列島線上の複数の島々において対中国の「分散作戦」を同時に展開する、という広範囲かつきわめて実戦的な大演習の一部分であったのだ。それは、東・南両シナ海から西太平洋へと進出する中国軍に対抗して米海兵隊と海軍がうちだした新たな対中国の作戦構想を実地に試みたものにほかならない。

両国権力者の、この日米安保同盟にもとづく悪らつな戦争放火策動を断じて許すな！

註1　「航空艦砲連絡中隊（ＡＮＧＬＩＣＯ）」は、米海兵隊が最前線から味方の地上部隊にたいする近接航空支援や艦砲射撃支援あるいは地上砲撃支援などを、航空部隊や艦隊あるいは砲兵隊などに要請し、射撃支援をおこなうための専門部隊。統合軍や多国籍軍の射撃管制を支援するための特殊な技術・技能をもつ中隊として、各海兵遠征軍（ＭＥＦ）内に二〇〇名規模で編成されている。ＡＮＧＬＩＣＯは Air Naval Gunfire Liaison Company の略称。

註2　「統合末端攻撃統制官（ＪＴＡＣ）」は、地上から味方の航空機にたいして攻撃目標の情報を伝え、航空機を管制・誘導して攻撃許可を与えること（末端攻撃統制）を任務とする士官。各海兵遠征軍の「航空艦砲連絡中隊」に所属する。ＪＴＡＣは Joint Terminal Attack Controller の略称。

「海警法」制定vs「安保適用」
尖閣をめぐる中─米日角逐

中国全国人民代表大会常務委員会は二〇二〇年十一月四日に、中国海警局(海警)の任務・権限を初めて明文化する「海警法」の草案全文を公表した。

同法案によると、海警の任務を「管轄海域でパトロールや警備を展開し、重要な島・岩礁を見張り、国家主権と海洋権益を脅かす行為を制止、排除する」ことと規定。そのうえで、中国が管轄すると称する海域で違法な活動をおこなったとみなした外国船が臨検を拒否した場合は「携行している武器を使用できる」と明記した。相手から武器などで攻撃を受けた際には「艦船や航空機に搭載した武器の使用も認める」としている。中国共産党中央軍事委員会の命令で、海警は「防衛作戦の任務を遂行する」と明記しているのだ。

右の内容からして、この法案は、中国が領有権を主張する尖閣諸島や南シナ海に中国が造成した人工島などを念頭において海警に戦時任務を与えたものであることは明らか。「外国組織や個人が中国側の許可なしに建築物を建てた場合は強制撤去できる」と具体的に謳ってもいることからするならば、日本が尖閣諸島に施設を建設すればその撤去などを名目に上陸・占拠することを、北京官僚はもくろんでいるにちがいない。

同法案は全人代常務委員会で十月中旬から審議にはいっており、早ければ年内に可決する見通しだという。日本が領有権を主張する尖閣諸島のいわゆる「領海と接続水域」への中国公船の侵入は、二〇年にはいってすでに三〇〇日を超えている。「尖閣諸島は中国の領土」という主張を強引に貫徹するために、三〇〇〇~五〇〇〇トン級の「海警」艦船四隻も投入しているのだ。海警法を成立させることによって、この尖閣諸島領有化策動を一気におしあげようと狙っているのが、ネオ・スターリン主義国家中国の習近平政権なのだ。

　他方、次期米大統領の座を掌中にした民主党のバイデンと日本の首相・菅義偉は、十一月十二日の電話会談において日米同盟の強化で合意した。特徴的なことは、バイデンみずから、「尖閣諸島は日米安保条約第五条の適用対象だ」と確約したことだ(第五条＝日本の領土内で日米いずれかに武力攻撃が加えられた場合は共同作戦をおこなう義務を負うとする規定)。バイデンは、東シナ海や南シナ海で威圧的な軍事行動を強めている中国を強く牽制すると同時に、そのために日本、韓国、オーストラリアとの同盟関係を一段と強化することを策している。米日共同の対中戦争遂行体制の強化に必要なカネと兵をより多く日本に供出させるために、大統領就任まえにあえて右のような言質を菅に与えたのだ。

中国公船(左)と海保巡視船（20年12月26日、尖閣諸島周辺）

　バイデンが副大統領を務めたオバマ前政権は、発足当初は尖閣諸島への安保条約の適用を明言しなかった。このオバマの民主党に日本政府・自民党は不安と懸念を捨てきれないできた。このゆえに、外務省幹部はバイデンとの会談を「政策課題が完全に一致した。百点満点だ」と歓迎し、菅じしんも「成果だ」と自画自讃している。こうして菅政権は、安保の鎖に一段と締めあげられながら、尖閣諸島をめぐる中国との〝有事〟に備えての日米共同演習と軍備増強、内に向けては〈鉄の六角錐〉の強化に突進しているのだ。

　「日本の尖閣領有は歴史的にも国際法的にも正当」などと、ナショナリズムに完全に陥没した反階級的言辞を十年一日のごとくにくりかえす日本共産党・不破＝志位指導部の腐敗を弾劾しのりこえ、米・日両権力者による対中国の準臨戦態勢強化反対の闘いを断固としておしすすめよう。

日豪首脳会談―米日豪三角軍事同盟への突進

二〇二〇年十一月十七日に東京で会談した首相・菅義偉とオーストラリア首相スコット・モリソンは、「日豪間の『特別な戦略的パートナーシップ』」にもとづく「安全保障・防衛協力を新たな次元に引き上げる」と謳いあげる「日豪首脳共同声明」をうちだした。

具体的には、互いの相手国から派遣される部隊の法的地位を明確化する「日豪円滑化協定」(共同演習・共同作戦を十全に展開するための部隊地位協定)の早期締結、自衛隊によるオーストラリア軍の「武器等の警護」実施に向けての体制構築(米軍艦船・航空機などの「アセット防護」という日米新ガイドラインにもとづく日本国軍の任務をオーストラリア軍にも適用すること)などを意志一致した。これらの合意は、日・豪間の軍事協力関係を実質上の軍事同盟におしあげたことを意味する。

この「共同声明」において日・豪両権力者は、南シナ海と東シナ海での「〔中国の〕現状を変更し、緊張を高める威圧的な行動」に「強く反対する」こと、そして「インド太平洋地域の平和と安定」のために「米国と緊密に協力すること」を強調している。要するに、南シナ海に軍事要塞を築き・東シナ海では尖閣諸島の領有化に拍車をかけている習近平の中国に対抗するために、アメリカのバイデン新政権とともに軍事的包囲網を構築するという意志を、菅政権とモリソン政権は鮮明にうちだしたのである。

日豪首脳会談の五日前、次期米大統領バイデンが菅との電話会談において「日米同盟を安全で繁栄したインド太平洋の『礎石』として強化する」「尖閣諸島は安保条約第五条の適用対象」とおしだした。それに先だってモリソンに電話をかけたバイデンは、「第一次大戦以降、すべての戦争を共に勝利した米

・豪の現在の課題は、インド太平洋地域の安保・繁栄維持のために協力することだ」と確認しあった。バイデン新政権は、インド太平洋地域において対中国の軍事的包囲網を構築するために、その支柱として米・日・豪の三角軍事同盟を構築・強化してゆこうとしているのだ。

このアメリカ帝国主義権力者の要求に全面的に応えているのが日・豪の両権力者だ。いま、習近平政権が尖閣諸島の実効支配を日本から奪取せんとして尖閣周辺で恒常的に遊弋《ゆうよく》させる海警艦船を増やし・日本漁船の排除にまでのりだしている。これへの対抗を菅政権は迫られている。他方、中国がオーストラリア周辺の南太平洋諸国の港湾・空港の使用権を次々と獲得しつつあることや、オーストラリア産食肉の輸入停止、オーストラリア産大麦に八〇・五％の追加関税をかけるなどの事実上の経済制裁（モリソン政権が「新型コロナウイルスの発生源」として中国を調査すべきと主張したことにたいする報復）をオーストラリアに科している。この中国の動きを牽制することにモリソン政権は躍起になっている。

かくして日・豪両権力者は、アメリカを中核とする対中軍事包囲網をアジア太平洋において形成するために、――すでにACSA（物品役務相互提供協定）やGSOMIA（軍事情報包括保護協定）を結んできたことを基礎として――同盟的結束を飛躍的に強化しているのである。

日豪首脳会談と符節を合わせて、米・日・豪にインドを加えた四ヵ国の合同軍事演習マラバール――対潜水艦戦をはじめとして対中国の海洋共同作戦能力を強化するための合同訓練――が、ベンガル湾（十一月三～六日）やアラビア海（十七～二十日）で強行された。急速に進められている対中軍事包囲網構築の策動にたいして、習近平の中国は「アジア版NATO創設の目論見」（『環球時報』）と非難し、核戦力の大増強をもって応えようとしている。尖閣周辺・東シナ海や南シナ海において、まさに米・日・豪―中の一触即発の危機が激成しているのだ。

米・日・豪の対中国三角軍事同盟の構築・強化と中国の核戦力大増強を断じて許すな！

対中国最前線拠点として強化される在沖米軍基地

アメリカのトランプ政権は、南シナ海・東シナ海のみならず西太平洋の制海権を奪取せんとしている中国・習近平政権の策動に対抗するために、在沖米軍基地を飛躍的に強化しようとしている。あくまでも辺野古への新基地建設を強行することを日本政府に迫ると同時に、那覇軍港「移設」と称して浦添新軍港の建設を一気におしすすめようとしているのだ。

われわれは、在沖米軍基地を対中国の有事即応・最前線出撃基地として強化する米・日両権力者の策動を断固うち砕くのでなければならない！

米中の軍事演習の応酬――高まる戦争勃発の危機

アメリカ帝国主義・トランプ政権は、中国にたいする敵愾心をむきだしにして「インド太平洋は中国との大国競争の中心地だ」「アメリカは〔中国に〕一インチたりとも譲歩しない」（米国防長官エスパー）と呼号している。ハワイ沖において米・日・豪など十ヵ国軍が参加した「環太平洋合同演習（リムパック）」を強行（二〇二〇年八月十七日～三十一日）すると同時に、沖縄周辺の空海域と東シナ海においては、米・日両軍による一大軍事演習をくりひろげたのだ（八月十五日〜十八日）。米日共同演習では、米戦略爆撃機B1やF35B戦闘機など十九機と空自のF15戦闘機など二十機が沖縄周辺から東シナ海にかけて航行しつつ戦闘訓練をくりひろげた。沖縄南方海上においては米原子力空母ロナルド・レーガンの艦隊が海自の護衛艦「いかづち」をひきつれて戦闘訓練を強行し、東シナ海では米駆逐艦「マスティン」と海自の護衛艦「すずつき」が共同訓練をおこなった。米・日両軍が広域に分散して実施したこの同時多発演習こそは、中国にたいする最大級の威圧にほかならない。いまや米軍は対中国の準臨戦態勢に突入しているのだ。

このトランプ政権による軍事的攻勢にたいして、中国・習近平政権は真っ向から対抗している。南シナ海北部・台湾をにらむ広東省沖・黄海・渤海四ヵ所での人民解放軍の軍事演習など、八月から九月にかけて連続的に軍事演習を強行しているのだ。しかも中国軍はこの大演習のただなかで、米軍艦船が「航行の自由作戦」と称して侵入をくりかえす南シナ海にむけて、「空母キラー」「グアムキラー」と呼ばれる中距離弾道ミサイル東風21Dと東風26を発射した（八月二十六日）。習近平政権は、米空母を撃破し、日本とグアムの米軍基地を攻撃する構えを示してトランプ政権を威嚇したのだ。

まさに東アジアにおいて米・中が軍事的つばぜり合いを激烈にくりひろげ、軍事的緊張が高まっている。〈米中冷戦〉のもとで一発の銃撃が引き金になりかねない戦争勃発の危機が醸成されているのだ。

「海兵沿岸連隊」の沖縄配備を企むトランプ政権

中国・習近平政権が、在日米軍基地や米艦船を標的にするミサイル基地網を構築し、空母機動部隊を創設・強化して東シナ海、さらに西太平洋まで展開するとともに、南シナ海の南沙・西沙諸島を軍事要塞化している。この中国の対米挑戦に対抗するためにトランプ政権・国防総省は、中国を主敵とする軍事戦略にもとづいてアジア・西太平洋に米第七艦隊に加えて第三艦隊(東太平洋担当・空母四隻所属)の一部をふりむけ、南シナ海に二つの空母打撃群を投入して頻繁に大演習を強行し、中国を軍事的に威圧している。米海軍は、「分散型海洋作戦(DMO)」と称する新たな軍事作戦計画にもとづいて、大型水上戦闘艦を単独、または数隻で広範囲の海域に分散配置し、中国のミサイル攻撃をかわしつつ多方面から中国を攻撃しうる攻防一体の態勢をとろうとしている。そして米艦隊が中国の対艦ミサイルの射程内に入る前に敵の水上艦・航空機・地上ミサイル発射機を先制攻撃できるようにするために、新型長距離ミサイルの開発・配備を急いでいるのだ。

こうした米海軍の作戦を支援するために、海兵隊司令部は中国ミサイルの射程内にある海域に海兵隊を分散展開し、島々に前方基地を構築して中国海洋艦隊を攻撃するという「遠征前方基地作戦(EABO)」構想をねりあげ、その軍事体制の構築を急いでいる(註1)。そのために沖縄に司令部がある第三海兵遠征軍のもとに三つの「海兵沿岸連隊」を創設し、ハワイ、グアム、沖縄に各一個連隊を配備することを企んでいる。この沿岸連隊は、「遠征前方基地作戦」の中軸を担う最前線の戦闘部隊なのである(註2)。海兵隊総司令官バーガーは、二〇二七年までに沖縄にこの沿岸連隊を配備することを明らかにし、沖縄配備にむけて日本政府と協議を開始しているのだ。

すでに在沖米海兵隊は、海兵沿岸連隊の配備をまつことなく、EABO構想にもとづいて伊江島においてパラシュート降下、高機動ロケット砲システムHIMARSの輸送・設置、ステルス戦闘機F35Bやオスプレイの展開・離着陸といった大規模な訓練を連続的に強行している。米軍司令部は、このEABOを実行できる部隊として海兵隊を強化するために、伊江島補助飛行場を改修し、F35Bが垂直着陸する際の高温爆風に耐えうる滑走路に舗装し直し、一辺約一八三メートルもの大きな正方形の垂直離着陸帯を新設した。米軍はこのリニューアルされた伊江島補助飛行場を「〔EABOにとって〕最高の訓練場だ」と自賛し、激烈な軍事訓練を開始しているのだ。

海兵隊司令部は、海兵隊と自衛隊は「完全に補完し合う関係だ」(バーガー)と強調し、米・日両軍の一体化をおしすすめようとしている。これに応えて日本政府・防衛省は、南西諸島にミサイル基地網を構築するとともに、陸上自衛隊・水陸機動団の三つめの連隊を創設して在沖米海兵隊の拠点基地キャンプ・ハンセンに配備することを画策しているのだ。

辺野古新基地と浦添新軍港の建設への突進

トランプ政権に尻を叩かれた日本政府は、V字滑走路・軍艦接岸用岸壁・弾薬庫を擁する海兵隊の新基地を辺野古に建設する工事を、コロナ感染拡大のただなかにあっても急ピッチで進めている。

同時に、米陸軍・那覇軍港の「返還」の名のもとに、浦添ふ頭沿岸を埋め立て沖合に新たな軍港を建設する計画をも一気におしすすめようとしている。

八月四日に突如として、政府・防衛省が「米軍が南側案に難色を示している」と語り、那覇軍港の移設先を浦添ふ頭地区「北側」とする方針を関係自治体に一方的に伝達した。アメリカ政府・米軍司令部が、浦添新軍港建設がいっこうに進まないことに業を煮やして日本政府を恫喝したのだ。米・日両政府の強圧をうけた浦添市長・松本哲治(自民党系)が「浦添西海岸リゾート開発のため」として求めてきた「南側への変更」要求を取り下げ、政府と県・那覇市・浦添市当局が那覇軍港移設先を浦添ふ頭「北側」とすることで事実上「合意」したのである(註3)。

強引に決定された浦添新軍港の建設計画

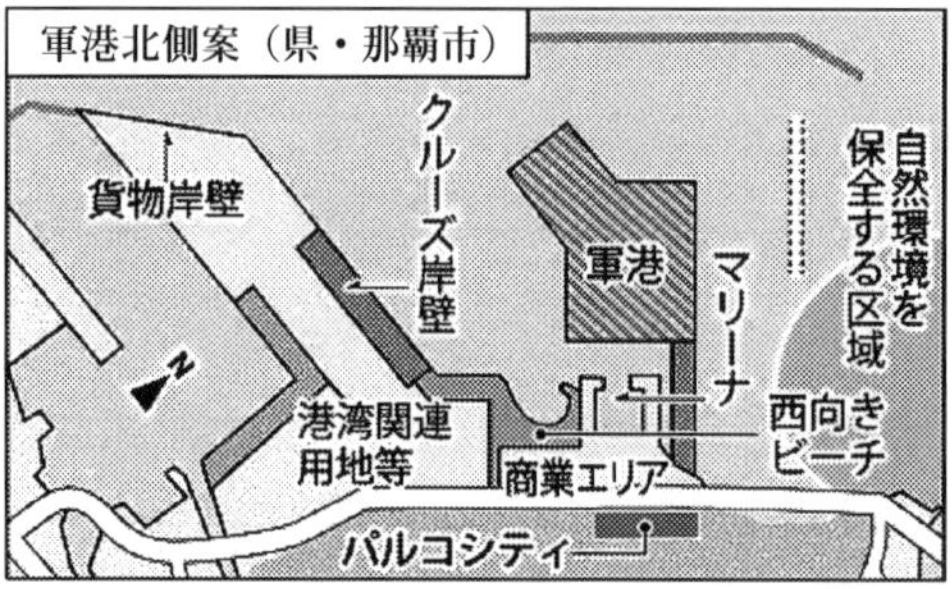

トランプ政権・国防総省が、今この時に強圧をかけてきたのは、中国が南シナ海を軍事拠点化し、また東シナ海の尖閣諸島沖に公船をくりかえし侵入させ領有化の策動を強めていることに危機感をつのらせているからにほ

かならない。南シナ海・東シナ海さらに西太平洋の制海権をアメリカから奪取せんとしている習近平政権の策動に対抗し・これをなんとしても阻むために、対中国の最前線に位置する沖縄に本格的な米軍港を建設する策動に拍車をかけているのだ。

トランプ政権は、老朽化し水深の浅さゆえに大型艦が接岸できない那覇軍港を「移設する」と称して、浦添ふ頭沖合に新軍港(四九ヘクタール)を建設しようとしている。浦添ふ頭沖合は一五メートルの水深があり、ここに新軍港が造られるならば、これまでの沖縄の米軍港には接岸できなかった空母を含む大型艦が入港可能となる。しかも軍港建設予定地は、普天間基地・キャンプ瑞慶覧・嘉手納基地に一直線でつながる西海岸道路沿いに位置している。まさにこれは、米海軍・海兵隊の一大出撃拠点であり、在沖米軍全体の兵器・物資の海上輸送拠点となるものなのだ。この新軍港の建設を早急に進めよというトランプ政権の命令に全面的に応えているのが、日米新軍事同盟の鎖で締めあげられている自民党政府なのだ。

＜全基地撤去・安保破棄＞めざして闘おう

われわれは、対中国の軍事作戦の出撃拠点として在沖米軍基地を強化する米・日両政府の策動を断固としてうち砕くのでなければならない。

辺野古新基地建設を絶対に阻止せよ！　那覇軍港「移設」の名による浦添新軍港の建設を許すな！　伊江島補助飛行場を使ったＥＡＢＯ訓練の強行を許すな！「海兵沿岸連隊」の沖縄配備を阻止せよ！　米軍中距離ミサイルと「使える核兵器」の沖縄配備阻止！　南西諸島への自衛隊ミサイル部隊の増強・配備反対！　陸自・水陸両用部隊のキャンプ・ハンセンへの配備を許すな！　日・米両軍の一体的強化を許すな！「敵基地攻撃能力保有」の名による先制攻撃の軍事体制構築反対！

米―中・露の核戦力強化競争に反対しよう！

日共系指導部による「反安保」なき「基地の整理縮小」請願運動をのりこえ、＜全米軍基地撤去・安保破棄＞をめざしてたたかおうではないか！

註1　遠征前方基地作戦（EABO）構想

海兵隊総司令官バーガーが米紙に「遠征前方基地作戦」の構想を披瀝している。

すなわち、海兵沿岸連隊は五〇～一〇〇人の小規模チームに分かれ、揚陸艇で南シナ海や東シナ海に点在する小島に上陸・占拠し、一時的な前方基地を構築する。ここを拠点にドローンを使って周辺を索敵し、中国の戦艦が第一列島線の外に出る前に高機動ロケット砲システム（HIMARS）を使って攻撃する。同時に、燃料積載可能量が少ないF35Bの前方展開に不可欠の給油任務をおこなう。

敵の報復攻撃をくぐり抜けるために、海兵隊は遠隔操縦できる水陸両用艇を駆使し四十八～七十二時間ごとに島から島へと移動する。同時に他のチームは米艦からおとりの船を使った陽動作戦を展開する。いわば〝ヒット&アウェー方式〟の機動作戦。

註2　海兵沿岸連隊

兵員一八〇〇～二〇〇〇人で、次の三部隊で構成される。①沿岸戦闘チーム――歩兵大隊と長距離ミサイル中隊で構成され、対艦攻撃と前方での軍用機への給油・武装支援、情報収集と偵察。②沿岸対空大隊――航空偵察・早期警戒・制空権確保。③沿岸兵站大隊――連隊の物資供給・医療やメンテナンス。この沿岸連隊は、中国のミサイル攻撃をかわすために平時から分散してアジア各地を移動するという。

註3　那覇軍港の「浦添移設」問題

日・米両政府は那覇軍港の「移設条件付き全面返還」で合意し（一九七四年）、九五年に浦添ふ頭を移設先と決めたが、反対運動の高まりのなかで当時の浦添市長が反対して棚上げになってきた。九九年以後に自民党系の県知事や浦添市長が軍港受け入れを表明したが、二〇一五年に現浦添市長・松本が「西海岸リゾート開発のため」と称して浦添ふ頭北側（原案）から南側への移設先変更を求めて政府・県知事・那覇市長と対立し膠着してきた。沖縄県知事と那覇市長は、「那覇港湾再開発のため」として那覇軍港返還の条件とされた「浦添移設」を受け入れ、移設地として那覇港からより離れた「北側案」を掲げていた。二〇年八月に、米軍は軍港が民港部分に挟まれて動きが制約されるとして「南側案」を拒否。日本政府と三自治体当局は「浦添ふ頭北側」への移設で事実上合意した。

天願　渉

米軍が佐世保基地で警備員労働者に過重労働を強制

不当な「不利益変更」を強行

東シナ海をにらむ対中国の出撃拠点と化している米軍佐世保基地（長崎県）において、二〇二〇年八月一日に米軍当局が、基地内で働く警備員の労働者の勤務体系を「八時間三交代」から「十二時間二交代」へと一方的に変更した。全駐留軍労働組合の「過重労働になる」という抗議を蹴飛ばして、基地当局は一切の協議を拒否し、この不当極まりない労働条件の「不利益変更」を強行したのだ。

佐世保基地には日本人労働者約一七五〇名が働いており、そのうち警備員として働く労働者は約八十名である。彼らはメインゲートなどでパトロール業務を担う。米軍基地当局は、この変更を「十二時間態勢で勤務する米軍憲兵隊と一体的に運用するため」などと説明している。対中国の出撃拠点として強化されている米海軍佐世保基地で、準臨戦態勢をとっている米軍に合わせて、日本人警備員に長時間労働を強要しようとしているのだ。

この勤務体系変更によって、ある夜勤の労働者の場合は、「十二時間の夜勤を三日間続けたあと四日目の朝に勤務明け、五日目は朝から八時間の訓練、六日目・七日目と連日十二時間の夜勤（八日目朝明け)」となる。週単位で六十八時間にもおよぶ極めて過酷な長時間労働が強制されるのだ。

米軍基地で働く日本人労働者は、日本の防衛省に雇用され、防衛省から在日米軍に「労務提供」される(間接雇用。米軍が労働者の監督・指導・訓練をおこなう)というかたちで働いている(全国の総数は現在約二万六一〇〇人)。

米軍は、今回の勤務体系変更を労働基準法の法定労働時間(一日八時間、週四十時間)を平然と無視して強行した。法定労働時間を超えて働かせる場合に必要な三六協定も佐世保基地当局は締結していない。労使協議すら拒否している。横暴の限りを尽くしているのである。

日本の労働法を完全に無視した対応について米軍がもちだしている直接の法的根拠は、日米安保条約にもとづく「日米地位協定」である。地位協定で、労働者の労働条件や諸権利について、「日本国の法令で定めるところによらなければならない」と規定されてはいる。ところが、その内容を骨抜きにするために、先の規定の直前に「相互間で別段の合意をする場合を除く」という一文を入れてある(註1)。彼らは、基地労働者の労働条件にかんする日米間の「労務契約」がこの「別段の合意」にあたると強弁しているのだ。

日本の防衛省と米軍のあいだで結ばれている「基本労務契約」なるものでは、「米軍との協議、交渉及び事前の文書による合意」が労働条件変更の要件とされている。国内法上、建て前としては基地労働者の労働条件にかんして日本の防衛大臣に決める権限があるとされていることを歯牙にもかけず(註2)、米軍当局は一貫して日本の労働法の適用を突っぱねてきたのである。

今回のデタラメ極まりない米軍による基地労働者の労働条件改悪こそは、米軍が在日米軍基地を対中国の軍事行動のためにフル稼働させていることに合わせて基地労働者をこき使おうとしていることによるのだ。しかもこの春から佐世保基地においても新型コロナの感染が広がった。米軍基地当局は、こうしたコロナ感染によって加速されたひずみの一切を基地労働者にしわ寄せしているのである。これを許容しているのが日本政府・防衛省なのだ。

フル稼働の米軍基地で酷使される日本人労働者

米中冷戦のもと軍事的緊迫が高まるなかで、在日米軍基地で働く労働者は、米軍によって兵士の肩代わりのような仕事や労働条件改悪を強制されている。

このかん睡眠時間が十分にとれない夜勤が一ヵ月続くなどの労働条件の改悪もおこなわれてきた。不当極まりないことに有給休暇も希望通りとらせないのだ。

それればかりではない。一九年、米軍佐世保基地では、米軍憲兵隊の指示で日本人労働者が銃を持たされ基地外の公道を移動させられる事件がうみだされた。まさしく労働者は米兵の補充要員のような役割を無理強いされているのだ。（註3）

いまトランプ政権は、ニクソン政権以来の対中国「関与」政策を「失敗」と断じ、〝中国に対抗する民主主義国の新たな同盟の構築〟を呼号している。彼らは、欧州駐留米軍を削減し、アジア・太平洋地域に部隊を重点配備するとともに、米・日・豪の対中国軍事包囲網構築に狂奔している。アメリカ権力者は、安保の鎖でしばりつけている日本政府を従えつつ、日米両軍に対中国の準臨戦態勢をとらせている。

特に米海軍佐世保基地は、ステルス戦闘機F35Bを搭載できる新型強襲揚陸艦（軽空母）「アメリカ」を核とする遠征打撃部隊の出撃拠点として、いま飛躍的に強化されている。二〇年春、四つの米空母艦隊が新型コロナ感染拡大で相次いで機能不全に陥った際には、この「アメリカ」が自衛隊艦船とともに中国軍を牽制するために東シナ海や南シナ海に展開したのであった。

この佐世保基地を新型コロナ感染拡大のもとで、新たな対中国の軍事体制の再編にもとづいてフル稼働させるためにこそ、彼らは日本人の基地労働者をいっそう酷使しようとしているのである。

＜米軍基地の強化反対・反安保＞の闘いを！

許しがたいこの労働条件の改悪にたいして、全駐労本部はもっぱら「〔国内の〕労働法令違反だ」というように、米軍による国内法の遵守を求めているにすぎない。

今回のような米軍基地当局による労働条件の改悪攻撃は、現時点のトランプ政権の対中国戦略の転換にもとづく日米軍事体制の再編、その一環としての在日米軍基地の強化（直接には佐世保基地の対中国出撃拠点としての強化）によってうみだされている。すなわち現時点の日米新軍事同盟強化のひとつのあらわれなのだ。

基地労働者は、在日米軍基地の強化にともなう労働条件改悪・労働強化に断固として反対するとともに在日米軍基地の対中国出撃拠点としての強化に反対しよう。対中国攻守同盟としての日米新軍事同盟の強化反対！〈安保粉砕・基地撤去〉めざしてたたかおうではないか。

註1　「……相互間で別段の合意をする場合を除くほか、賃金及び諸手当に関する条件その他の雇用及び労働の条件、労働者の保護のための条件並びに労働関係に関する労働者の権利は、日本国の法令で定めるところによらなければならない。」（第十二条〔調達〕5項）

註2　「駐留軍労働者等の給与その他の勤務条件は、生計費並びに国家公務員及び民間事業従業員における給与その他の勤務条件を考慮して、防衛大臣が定める」（一九五二年法律一七四号第九条2項）

註3　『解放』第二五五四号「在日米軍基地労働者を後方支援任務に強制動員」を参照

〔追記〕その後、防衛省佐世保防衛事務所は「〔今回の〕変更は、基本労務契約に規定された就業計画の範囲内の変更で、労働条件の変更に該当しない」、だから問題はないという見解を表明した。今回のシフト変更をそもそも〝労働条件の変更にあたらない〟などと強弁するのは、苦し紛れの詭弁だ。まさに、横暴の限りを尽くす米軍基地当局への全面協力！　アメリカの属国ぶりを丸出しにする日本政府を許すな。

船島剣士

「国難突破の政労使協議」への春闘の解消

――「連合」指導部の二一春闘「基本構想」――

越塚　大

「連合」指導部は、二〇二〇年十月十五日の第十三回中央執行委員会において「二〇二一春季生活闘争基本構想」を確認した。この「基本構想」は、〈パンデミック恐慌〉のもとでの業績悪化をのりきるために、労働者に犠牲を転嫁しようとする独占資本家どもの意を受けて、春闘を「国難突破の政労使協議」へと転換し、それにすべて解消する宣言にほかならない。

解雇・賃下げに抗議もせず「賃上げ要求」を放棄

「基本構想」の第一の特徴は、二〇二一春闘の意義として「感染症対策と経済の自律的成長の両立と社会の持続性の実現」をはかるために「経済・社会の責任を担う政労使の対話」が重要だと強調している点である。新型コロナウイルスの感染拡大による景気の悪化を「国難」ととらえて、独占資本の救済のために「経済のデジタル化」促進策を推進すると同時にGoToトラベルなどの国内需要の喚起策を実施する菅新政権にすり寄り、春闘を「国難突破の政労使協議」の場へと丸ごとスリカエようとしているのが「連合」労働貴族どもなのである。

「基本構想」では、二一春闘の目的を「感染症対策と経済の自律的成長の両立」と位置づけ、そのために「労働条件の改善による消費の喚起・拡大が不可欠」だ、とおしだしてもいる。新型コロナウイルスの感染拡大による業績悪化をのりきるために資本家どもが解雇や雇止め、賃金カットなどによって犠牲をすべて労働者に転嫁しているもとで、これに抗議することすらも放棄して、労働者の困窮とは無関係に「経済再生」のための政府や経済団体との対話の重要性をおしだしているのが「連合」指導部なのである。

第二の特徴は、二〇二一春闘における「連合」としての「賃上げ要求」の旗を完全に引き下ろしたということである。「基本構想」では、「賃上げ要求の基本的な考え方」として「本年は、……とりわけ社会基盤を強化する観点から、『底支え』『格差是正』に重点的に取り組むこととしたい」としている。一九年におしだした重点項目から「底上げ」を除外したのだ。

「連合」指導部は、「賃上げ幅から賃金水準要求」への転換を掲げて二〇春闘方針から「連合」としての「賃上げ要求目安」を無くそうとした。しかし、中小組合を抱える加盟産別からの批判・反発を受けて、「上げ幅」要求=賃上げ要求の放棄をごまかすために「底上げ」「底支え」「格差是正」を「再定義」し「賃金指標パッケージ」なるものを提起した。すなわち「底上げ」の項目において、「産業相場・地域相場を引き上げていく」ためと称して「定期昇給分＋引き上げ率」を合わせて「四パーセント程度」という「上げ幅」の要求をかたちのうえでのみ残したのである。

ところが、今回の「基本構想」においては、「上げ幅」をかたちばかり示したにすぎないこの「底上げ」要求さえも賃上げの重点項目から削除したのだ。そもそも「賃金指標パッケージ（案）」の表の中には、「格差是正の目標水準」や「企業内最低賃金協定」の水準などは一九年と同様の金額を明記しているものの、「底上げ」の欄では賃金「引き上げ率」については伏字にして数字を示していない。二〇年十一月五日の「連合中央春闘討論集会」でも「引き上げ率」を明示しなかった。大手産別の労働貴族どもが、「大手の賃金水準は十分高い」などと主張する独占資本家どもに呼応して賃上げ要求を放棄するために、「引き上げ率を掲げるな」などと主張しつつ「底上げ」要求そのものを重点項目からはずすことをゴリ押ししているのだ。ＪＣなどの大手組合の労働貴族どもは、「横並びの賃金交渉」を否定する経団連会長・中西宏明ら独占資本家の意を受けて、春闘を「企業の生産性向上のための労使協議」へと解消しようとしているのである。トヨタ労組労働貴族は、二〇春闘で賃上げ要求を放棄したばかりではなく、二一春闘にむけては労働組合から成果主義的賃金支払い形態の徹底を申し入れているほどである。このように「連合」指導部は、春闘におけるかたちばかりの賃上げ要求をも最後的に放棄しようとしているのである。

〔「連合」指導部は、春闘討論集会において中小企業労組が多い産別からの「上げ幅の数字を示せ」という突き上げを受け、十一月十九日の中執会議で提起した「二一春闘方針案」において一九年と同様の「二％程度」という数字を示した。ただし、「それぞれの産業の最大限の『底上げ』に取り組む」と、つけ加えることによって、「賃上げ要求」を統一した要求基準ではなく、各産別まかせにしたのである。〕

菅政権の需要喚起策の積極的下支え

第三の特徴は、新型コロナウイルスの感染拡大によって落ちこんだ国内需要を回復させるために「消費者のマインドにプラスワン」などという〝消費喚起運動〟を呼びかけていることである。菅政権が観光業界の業績回復のためにとりくんでいるＧｏＴｏトラベルなどの需要喚起策（大手の旅行会社や宿泊業者などへの支援策）を支えるために、労働組合が組合員にたいして消費を増やせと呼びかけているのだ。まったく労働者を馬鹿にしているではないか！　新型コロナウイルスの感染拡大による業績の悪化を理由に休業による賃金カットなどを受け、生活苦に陥っている労働者の窮状を打開するために闘いを組織化することなく〟消費喚起運動〟を困窮する組合員に呼びかけるのは、労働者にたいする裏切り以外のなにものでもない。この〟消費喚起〟の呼びかけは、「連合」指導部が労働者の犠牲のうえになりたつ菅政権の政策を積極的に下支えするためであり、それを組合運動として展開することは、「連合」が「救国」翼賛団体へと変質していることを如実に示すものではないか。

第四に、労働者の首切りを前提にした「セーフティネットの強化」をうちだしていることである。

「基本構想」では、二一春闘の課題の第一に「社会全体で雇用の維持・創出に取り組む」ことを挙げている。しかし、「雇用の維持・創出」といっても、各企業経営者による労働者の解雇・雇止めじたいになんら反対しているわけではない。それ自体は容認したうえで、生みだされる失業者の対策において「経済団体、行政、NPO（非営利組織）などさまざまな団体・組織」と連携していくことを表明しているにすぎないのだ。「連合」加盟の大手企業労組においても非正規雇用労働者にたいする大量の雇止めや正社員の希望退職という名の解雇がすでに強行されているにもかかわらず、当該企業の労働貴族どもはこれに反対することなく、むしろ積極的に協力しているのである。

「連合」指導部は、「生産性の低い企業の淘汰」を進め「失業なき労働移動」と称して解雇規制の緩和と転職にむけた「リカレント教育」の推進という施策をとろうとしている菅政権に呼応して、みずから「失業なき労働移動」を呼号して首切りを前提にした「セーフティネット機構の強化」なるものを唱えているにすぎないのだ。

「連合」指導部による「救国」のための春闘壊滅の企みを許さず、われわれは、二一春闘を〈一律大幅賃上げ〉の獲得をめざして職場深部から原則的にして柔軟な闘いを粘りづよく創造するのでなければならない。

二〇二〇人事院勧告

一時金引き下げ勧告弾劾！

高井登志男

人事院は二〇二〇年十月七日、国家公務員の一時金を引き下げる勧告をおこなった（〇・〇五月。月例給は据え置きと同月二十八日に発表）。十年ぶりの一時金引き下げ勧告である。断じて許すな！

新型コロナウイルス感染拡大のもと、菅政権と菅が官房長官であった安倍前政権の無策のゆえに、公務労働者は超強度・長時間の労働を強いられつづけ疲労困憊に陥っている。予算もない・人員もない現場の公務労働者に、問題だらけの〝コロナ対策〟実施を押しつけすべての犠牲を強要しているのが自民党政権である。傲岸さをむきだしにする菅政権は、発足するやいなや真っ先に人事院に引き下げ勧告をおこなわせた。しかも、一時金の内訳のなかでも勤務成績が反映しない、全員一律の期末手当分から削減するとうちだしたのだ。

それだけではない。人事院は、同時に発表した「人事管理に関する報告」において、すべての官僚の人事を一手に握る内閣人事局と連携して、「能力・実績にもとづく人事管理」を徹底するとうちだした。今後、内閣人事局が「分限処分」（註）という公務労働者の降格や首切りを容赦なく強行する構えをぶちあげたのだ。

月例給から切り離し一時金削減を先行勧告

今回の勧告の第一の特徴は、人事院が一時金の削減を月例給からきりはなし、先行して勧告したことにある。(国家公務員法においては、「人事院は、毎年、俸給表が適当であるかどうかについて国会及び内閣に報告しなければならない」と規定されており、まずは月例給について報告・勧告するのが人事院の「義務」とされている。今回、一時金の削減を先行させたことは、人事院にとって極めて異例といえる。)

パンデミック恐慌のもと、独占資本家どもはみずからの生き残りのために、労働者にたいして解雇・賃下げ攻撃をかけ、一切の犠牲を労働者に転嫁している。こうした独占資本家どもとあい呼応して、公務員賃金の引き下げ勧告をうちだし、政府も国家財政をきりつめるために〝身を切る〟策に努めているのだと喧伝しようとしたのが菅政権と人事院なのだ。しかし月例給の勧告は、新型コロナ感染拡大の影響がまだ少ない四月分の官民の給与月額を比較して算定される。したがって月例給では大幅な「官民格差」は出ないがゆえに引き下げ勧告を出しにくいとみた人事院は、月例給からきりはなして一時金の削減のみを先行してうちだす「分離勧告」をおこなったのだ。「自助」を声高に叫び「既得権益打破」を掲げる菅日本型ネオ・ファシズム政権の意向に応え、公務員の賃金を引き下げることをこれみよがしにアピールしてみせたのだ。そのうえに財務省は、これもまた異例なことに、閣議決定もしていない勧告当日に、わざわざ〝引き下げが実施されれば、地方を含めて人件費削減の効果は大きい〟などと今回の勧告を賛美するコメントを出したのだ。

能力・実績主義の徹底

第二の特徴は、菅政権が「人事評価制度」の徹底を進めていることに、人事院としても積極的に協力し、評価結果を給与などに反映させるために「昇任及び昇格の基準、俸給表のあり方等の検討」を進める、と強調していることである。

菅政権は、いまや「勤務成績が不良」とみなした公務労働者を処分の対象とする新たな人事評価なるものに狂奔している（「勤務成績が不良な職員に対する対応について」なる通知を七月二十日に発表、十月一日に実施）。これまでD評価の職員を分限処分の対象としていたものを、今後はC評価の職員をも分限の対象にするというのだ。しかも、首相・菅義偉が前政権の官房長官であった七月にすでに発足させた「人事評価の改善に向けた有識者検討会」（内閣人事局）において、「時代の変化」をふまえた「新たな人事評価のあり方」について、以下の点を明らかにした。⑴評語（S・A・B・C・Dなどのランク付け）区分の細分化と、⑵現状の評語分布が「C・Dが極端に少ない反面、S・Aは固定化する傾向がある」ことを見直すこと――この二点である。菅政権は、これまでより以上の多くの公務労働者にC・D評価を烙印し処分すると公言しているのだ。許し難いではないか！

首相・菅は、「第四次産業革命の立ち遅れ」に焦る独占資本家どもの意を体し、「デジタル化」を進めて「経済・社会を一変させる」とぶちあげ、「デジタル化」の「一丁目一番地の最優先政策課題」とみなした「デジタル・ガバメント」推進に突進しようとしている。内閣官房のもとに、予算・権限を集中的に与えた「デジタル庁」を司令塔として設置することをテコとして、省庁や地方自治体が保有する情報を統合・一括管理するために、業務システムの「統一・標準化」を進めようというのだ。マイナンバーカードをすべての国民に保有させることとあわせて、デジタル監視網を構築するものではないか。さらに、膨大に蓄積された行政データを、新たなイノベーション創出の機会として、独占資本家どもに提供しようというのだ。

菅政権は、この「デジタル・ガバメント」の担い手——デジタル技術諸形態を駆使して行政事務部門全般をとりしきる公務員——をつくりだすためにも、人事評価制度を改変しようとしているのだ。しかも、内閣人事局は「評価」の基準となる内容を次のように変えるという。〝今までの評語B（普通）は、誰の助けも借りずに仕事ができる、ということだった。しかし今日では、時代の先を読んでそれにふさわしく仕事を改革する、そこまでしなくては「普通」とはいえない〟と。つまり評価基準である〝職能的能力を今より飛躍的に高いものとし、この基準にとどかなければ、成績不良として分限処分（降任・解雇）の対象にする。この人事評価制度の改変に協力する人事院は、この評価制度をよりメリハリのきいたものとするために、評価結果を給与に反映させることを検討し始めるというのだ。菅政権が掲げる「デジタル・ガバメント」などの「重要政策」の推進をみずから課題と考え働くような一握りのエリートをつくりだし、それ以外は、「普通」以下として降任・降格し給与も引き下げ、解雇もする。こうした下位の評価を増やすための、評語の細分化・評語分布の見直しなのだ。

そればかりではない。菅政権は国・地方の行政事務部門に、AI（人工知能）・RPA（ロボティック・プロセス・オートメーション）などのデジタル技術諸形態をどしどし導入しようとしている。それにともない大量の余剰人員とみなした労働者の首を切るために、従来はまれにしか使われてこなかった分限処分をC評価にまで拡大し、使いやすくすることも企んでいるに違いないのだ。

自治労・自治労連指導部の闘争放棄を弾劾し闘おう

今回の勧告および報告にたいして、自治労本部は、一時金引き下げは「民間水準の反映とはいえ」感染防止や災害対策に「奮闘」している「職員の努力を踏まえると残念」との談話を出した。そこには一時金引き下げ勧告への怒りも、民間労働者に犠牲を転嫁している独占資本家どもへの怒りもない。まったく許せないではないか！

自治労本部は、このかん感染防止を理由に諸会議や集会などの取り組みを中止し、定期大会まで書面大会としてきた。通常の組合活動再開の展望も明らかにしないまま、本部は、引き下げ勧告にたいして「マイナス幅が小幅にとどまった」などとほっと胸をなでおろしながらも、〝来年は大幅な賃下げが出るのではないか〟と、戦々恐々としているのだ。自治体ごとの秋季賃金確定闘争については、「産別統一闘争」として「全力で展開する」とうちだしてはいるものの、その内実は、自治体当局と「運用改善」について協議するというものにすぎないのだ。

他方、分限処分の拡大などの人事評価制度の改変についてもまったく危機感を欠如しているのだ。

〝自治体は国とは異なる〟、人事評価制度には「労働組合としてしっかり関与」し、「人材育成やモチベーションの向上に資する制度とすることが基本」だ、などという。人事評価制度そのものは必要なものと肯定したうえで、ただその制度の運用の仕方について〝注文〟を加えているのが自治労本部なのである。

そして、自治労連日共系指導部は、「一時金削減勧告の見送りを政府に求める」と弱々しく主張するものの、それは「冷え込んだ消費需要を拡大」するには賃上げが必要であるとか、一時金の削減勧告は「地域経済に悪影響を及ぼす」とかというように、もっぱら日本経済たてなおしの観点からのものなのだ。その内実は〝コロナ危機で公務労働者は懸命にがんばっているので職員としての働きにみあった報酬を出してほしい〟と政府に哀願するにすぎないのだ。

このような既成指導部の闘争放棄・歪曲を弾劾し、一律大幅賃上げをめざし、自治体賃金確定闘争をたたかおう！

一時金の引き下げ勧告弾劾！

労務管理強化、賃金制度における能力・実績主義の強化を許すな！

菅政権によるデジタル庁の創設―ＮＳＣ専制体制の強化を許すな！

註　分限処分

職員が次の場合に該当する時は「その意に反して、これを降任し、または免職することができる」とされている。「①人事評価または勤務の状況を示す事実にてらして、勤務実績がよくない場合、②心身の故障のため、職務の遂行に支障があり、またはこれに堪えない場合、③その他その官職に必要な適格性を欠く場合、④官制もしくは定員の改廃または予算の減少により廃職または過員を生じた場合」。なお、分限処分は制度としてはあるが、これまで行使されたことはまれである。

これにたいして「懲戒処分」は、収賄などの職務上の非違行為、刑事事件など非行が対象。免職・停職・減給・戒告がある。

（以上「国家公務員法」より）

〔本誌掲載の関連論文〕

・超低額の人事院勧告弾劾！　高井登志男（第二九八号）

・自治体戦線から改憲阻止・公務員労組破壊攻撃粉砕の闘いを　自治体労働者委員会（第二七二号）

・「震災復興」を口実とした公務員賃金の切り下げ・大増税を許すな　自治体労働者委員会（第二五五号）

ドコモ完全子会社化にふみだしたNTT

月形真生

NTT(持株会社)は、移動通信子会社NTTドコモ(出資比率六六・二%)の完全子会社化をまもなく完了する。一般株主が保有しているドコモ株(約三割)のすべてを四兆三〇〇〇億円もの巨費で取得する公開買い付け(TOB)が二〇二〇年十一月十六日に終了する予定なのだ(TOB終了後にドコモは上場廃止)。かつて政府から分割・民営化を強いられ、ドコモへの出資比率の引き下げを求められてもきたNTT。このNTT経営陣が、最大株主(三三・九三%)である日本政府の後押しを得て、ドコモの完全子会社化を軸とするNTTグループの再結集にのりだしたのだ。

ドコモの完全子会社化を発表した九月二十九日の記者会見においてNTT社長・澤田純は、同席したドコモ社長を前にして「三大携帯事業者のなかでわれわれは三番手」とことさらに強調し、競争が激化している世界のICT(情報通信技術)市場で勝ちぬく決意を披瀝した。自動運転や遠隔医療にとって必須な技術とされる次世代移動通信システムの開発・普及において、第五世代「5G」での決定的な立ち遅れを第六世代「６Ｇ」で挽回することに狙いを定め、ドコモの完全子会社化をテコとして「新たなサービス・ソリューション」と「移動・固定融合型の次世代通信基盤整備」の推進を軸に事業展開する「総合ＩＣＴ企業」として飛躍する計画をうちだしたのだ。

〝ドコモを完全子会社化することによってＮＴＴグループ企業は意思決定が迅速化する〟と豪語したＮＴＴ社長は、ドコモを完全コントロール下において、５Ｇ・６Ｇという次世代移動通信技術と光ネットワーク技術を一体で開発することや、ドコモのもとにＮＴＴコミュニケーションズ（法人向けネットワーク事業に注力する長距離・国際通信会社＝完全子会社）とＮＴＴコムウェア（システム開発会社＝完全子会社）の業務を集約して法人向け新サービスを創造・販売することなどを一気にすすめようとしている（後者を彼らは「ドコモコムコムの融合」と呼んでいる）。彼ら経営陣は、この新たな事業再編のために、またもやＮＴＴグループ企業労働者に犠牲を強制するにちがいない。これをわれわれは断じて許してはならない。

国際競争力強化のためのグループ一体経営

一九九二年にＮＴＴから分社化されたドコモは携帯事業会社として業績を伸ばしてきた（電電公社の民営化＝ＮＴＴ発足は一九八五年）。とりわけ一九九九年に携帯電話でインターネットが使える「ｉモード」の開発によって爆発的に売り上げを伸ばし、ドコモはＮＴＴの〝稼ぎ頭〟となった（現在でもドコモの営業利益はグループ全体の五〇％を超えている）。しかし、二〇〇七年に米アップル社のスマートフォン「ｉＰｈｏｎｅ」が他の国内携帯事業者から発売されると顧客は「ｉＰｈｏｎｅ」を販売する他社に乗りかえていったにもかかわらず、「ｉモード」にこだわったドコモはスマートフォンの流行から取り残された。〔それは、携帯電話・スマートフォンを製造していたＮＥＣ・富士通をはじめとする国内電機メーカーとの協力関係を維持し・各社を支えることを優先した結果でもあった。」ドコモがやっと「ｉＰｈｏｎｅ」の導入を決断したときには、国内の競争激化のなかでａｕ（ＫＤＤＩ）やソフトバンクに収益で追い抜かれていた。このことに危機感を募らせたＮＴＴ経営陣からは「ドコモは内向きになってビジネス構想力が足りない」などの批判が噴出していたのだ。

そしてドコモの分社化から二十八年後の今、新型コロナウイルスのパンデミックのもとで「リモートワーク」やオンライン決済などが一気に広がりつつも、なお米・欧・中国などに比して日本社会の「デジタル化」が遅れていると政府・独占ブルジョアジーは喚きたてている。ファーウェイを筆頭に台頭する中国系ＩＣＴ企業やますます強大化するアメリカのＧＡＦＡ（グーグル・アップル・フェイスブック・アマゾン）が世界市場を支配している。こうした市場の激変のなかで〝日本が世界のデジタル化の波に取り残される〟という危機感を昂じさせている日本政府の後押しを受けて、ＮＴＴ経営陣は国際競争に勝ちぬくために〝「ＯＮＥ　ＮＴＴ」でＧＡＦＡに対抗する〟と称してグループを再結集し・その総力を挙げて研究開発や事業展開を一体的にすすめようとしているのだ。「グループ各社が同じ案件を別々に関わって対立も生み出している」状況の打破をも掲げつつ。

この事業再編について政府の了解を得ているがゆえに自信満々のＮＴＴ社長・澤田は、首相・菅義偉の「携帯電話料金引き下げ」要求に応える姿勢をおしだしつつ、「ＮＴＴの独占体制への回帰」と反発しているＫＤＤＩやソフトバンクの経営陣にたいして「〔ＮＴＴ法は固定電話会社との分離を義務づけているだけだから〕法的に問題はない」と傲然と突っぱねているのだ。〔二〇年六月にＮＴＴ執行役員に起用された柳瀬唯夫――安倍の加計疑獄にかかわった元首相秘書官――が政府との〝パイプ役〟だ！〕

もとより菅政権は、ＧＡＦＡを擁するアメリカと、政府の手厚い支援のもとにファーウェイなどを育成し一気に台頭してきている中国との技術覇権争いが激化するなかで、日本の産業・諸独占体の生き残りを賭けて「社会・経済のデジタル化」をおしすすめようとしている。ＮＴＴグループの分割による競争促進という従来の政府の施策によっては、通信サービス料金の引き下げと顧客囲い込み競争しか生みださず、革新的な技術開発がすすまなかった。こうした状況を打開するために菅政権は、ＮＴＴの分割を前提とした〝競争環境創出一辺倒〟というべき従来の情報通信政策をなし崩し的に転換したのだ。「社会のデジタル化」の司令塔として「デジタル庁」を新設するとともに、ファーウェイやＧＡＦＡに伍して日本の情報通信技術の最先端を担う企業をつくりだすためにＮＴＴグループの再結集を促すことにふみきったのである。

「総合ＩＣＴ企業」としてのグローバル競争戦略

ドコモの完全子会社化にふみだしたＮＴＴ経営陣は、一八年にうちだした中期経営戦略において「デジタル・トランスフォーメーション」（ＤＸ）と新通信システム「ＩＯＷＮ」（Innovative Optical and Wireless Network）をテコに「総合ＩＣＴ企業」としてグローバル市場にうってでることを鮮明にした。そのために、「社会的課題の解決に貢献する」という大義名分を掲げ、①法人営業力を強化し、移動と固定を融合したソリューションを創出する、②協業企業との事業強化、新規事業の創出、③コスト競争力の強化、④研究開発力の強化に注力するという方策をうちだした。

ＮＴＴ経営陣はすでに、民営化三十年を期して、「黒子に徹する」ことを経営方針としてうちだし、一般個人顧客はドコモを窓口とし、ＮＴＴ東・西会社は個人向けではなく企業向けの営業活動に徹してきた。携帯電話事業者とＮＴＴの光固定インターネットのセット割引販売をおこなうことによって光回線の契約を一気にひろげてもきた（二〇〇〇万契約を超え、ＮＴＴ東・西の光回線シェアは約七〇％である）。それも今や飽和状態となり収益増大は限界にいたっている。

鳴り物入りで開発してきた5Ｇの技術特許シェアにおいてＮＴＴは、莫大な資金力と高い技術力をもつファーウェイやサムスン（韓国）、クアルコム（アメリカ）などに大きく水をあけられている。ＮＴＴ経営陣は、失地回復のために、ドコモが開発している次世代移動通信技術と、ＮＴＴ通信研究所が独自に開発してきた光通信インフラ――ネットワークから端末にいたるまでのすべてを光でつなぎ処理する「ＩＯＷＮ」構想にもとづくそれ――とを一体的に開発することをめざしているのだ。〔ＮＴＴは、「ＩＯＷＮ」構想にもとづく新通信システムを三〇年までには実用化すると発表し、そのためにインテルやソニーとともに業界団体「ＩＯＷＮグローバルフォーラム」を設立して技術開発とその国際標準化にむけてつきすすんでいる。〕

ＮＴＴ経営陣は、この「ＩＯＷＮ」構想において「リモートワールド（分散化社会）を考慮した新サービスの展開」や「世界規模での研究開発」による新規事業の創出とコスト競争力の強化で世界市場にうってでると表明した。これが実現するならば、５Ｇ・６Ｇの基地局間通信を担う光ネットワークの高機能化によって低消費電力・大容量・低遅延の「移動・固定融合型」通信ネットワークがつくられ、「スマートシティ」づくりにも貢献すると喧伝しているのだ。

すでにＮＴＴは、アメリカ・ラスベガスにおいて、犯罪防止や交通渋滞緩和などのために、あらゆるところでデータを収集し、リアルタイムで分析・把握・制御などをおこなう業務を自治体から請け負い、「スマートシティ」づくりをすすめている。ＮＴＴ経営陣は、こうした超監視社会の街づくりを「スマートシティ」と銘打ち、「サービス・ソリューション」の目玉商品として、アメリカだけではなくインドなどの自治体に売りこんでいる。日本においても、トヨタと資本提携し、「自動運転」「ライドシェア」などの開発のみならず、静岡県裾野市での「スマートシティ」の実証都市づくりで協業しているのだ。

「安全な通信網づくり」の名で〝国内企業連合〟を形成

トランプのアメリカがファーウェイなどの中国製通信機器を通信網から排除することを他国にゴリ押ししてきたなかで、イギリスやフランスそしてカナダなどもアメリカに追随しはじめている。アメリカの「属国」日本の政府も「安全な通信網づくり」と称して５Ｇ通信網から中国製品を排除することを決定した。この政府のテコ入れを受けたＮＴＴ経営陣は、これをチャンスとして、ファーウェイ製品に代わる5G基地局設備などをNECと共同開発し国内外で売りこむために資本・業務提携を決めた(二〇年六月発表。NTTが六四五億円を出資してNECの第三位の株主となる)。NECとは次世代移動通信(5Gの高度化、とりわけ6G)、光通信、海底ケーブル、さらに宇宙空間など、最先端の通信基盤の共同開発をすすめるとしている。

NTTはファーウェイなどの中国企業の製品を排除した「安全な通信ネットワーク」をみずからが主導して構築するために、NECを協業のコアに据え富士通なども加えた〝国内次世代通信連合〟を形成し、これを基礎として米欧メーカーとも連携して「オープン化」と称してファーウェイなどの特定企業の機器に依存しない〝米・欧・日の複数企業による通信ネットワークづくり〟にのりだしたのだ。

さらにNTT経営陣は、米中対立の激化のなかで、中国や北朝鮮のミサイルを迎え撃つシステムや電磁波戦・サイバー戦に備える態勢の構築をアメリカ政府と一体ですすめようとしている菅政権を支えるために、それに必要な技術開発もおしすすめようとしている。NTTは〝国策会社〟として、菅政権のもくろむNSC専制の強権的=軍事的支配体制の強化を技術的に支えてもいるのだ。

「デジタル化」による労働者への犠牲転嫁を許すな!

NTT経営陣は、一九九七年に〝NTT独占体制を打破し公正競争条件を整備しNTTを分割する〟とされた「NTT再編成基本法」を政府から受け入れさせられた。このNTT法によって分割されたNTT東・西会社はインフラ強化のために三兆円を投じて全国に光ファイバー回線を敷設する計画を実施した。

この事業再編をすすめるためにNTT経営陣は、大量首切り・大幅賃下げの攻撃を労働者にしかけてきた。NTT東・西会社の労働者一一万人にたいし、五十歳で退職させ、それまでの賃金を地域によって一五％から三〇％カットしたうえで、わざわざ創設したアウトソーシング会社が再雇用する「五十歳退職再雇用」制度を導入したのだ（二〇一三年終了）。この「五十歳退職再雇用」制度を適用された労働者のすべてがあと二年のうちにアウトソーシング会社での定年退職を迎える。しかし今度はドコモを完全子会社化し「ＯＮＥ ＮＴＴ」として世界市場で勝ちぬくために、退職不補充のみならず、グループ内の事業統合による人員削減と残された労働者への労働強化や賃金削減という攻撃を新たにうちおろそうとしているのが、ＮＴＴ経営陣なのだ。

ＮＴＴ経営陣は、「ＮＴＴの優秀な人材は三年もすると他企業に引き抜かれてしまう」と嘆き、引き抜きを阻止するために「優秀」とみなした最先端ＩＴ技術者を〝高給〟で優遇する制度をすでに導入した。「すべての従業員がデジタル人材になれ」とがなりたてて、新たな社内資格をとることを強制してもいる。

それだけではない。リモートワークを常態化させつつ、「リモートワークは時間で成果を計れない」などと称して賃金を時間ではなく役割・成果に応じて支払うとするジョブ型賃金支払い形態をすべての労働者を対象にして導入することを検討している。それは大多数の労働者の賃金を引き下げるための賃金支払い形態の改悪だ。

ところがＮＴＴ労組本部は、ドコモの完全子会社化を「前向きな改革」などと全面的に賛同し、ＮＴＴグループの新たな再編やデジタル革新に協力し下支えしている。経営陣が「ＮＴＴ内部もデジタル化を推進せよ」「デジタル人材になれ」と叫びたてているなかで、精神的・肉体的に追いつめられ辞めざるをえない労働者が数多いる。われわれは、いわゆる「デジタル化」のなかで追いつめられている労働者には目もくれず、「新しい働き方を受け入れよ」「スキルアップせよ」と経営陣と一緒になって労働者に強要する労働貴族どもを弾劾し、際限なくすすめられるデジタル技術・新サービスの開発競争のもとで労働者が強いられる労働強化と首切り・賃下げを阻止するために奮闘しなければならない。ＮＴＴ労組本部に抗して職場から闘いを創造しよう！

超長時間労働・労働強化に怒る教育労働者

山岡仁八

苦しめられている。怒りなくしては語ることができない悲惨極まりない教育現場の一端を明らかにする。

北海道の教育現場では

新型コロナウイルス蔓延下の北海道の教育現場でいま、何がうみだされているのか。政府・文部科学省、北海道教育委員会は、〝学びの保障と感染対策を両立させろ〟〝休校・分散授業で失われた授業を取り戻せ〟と「英語科（小）」、「プログラミング教育」、「道徳の評価」など教科数も教育内容も大幅に増加した新学習指導要領の完全実施を学校現場に強要している。子どもも教師も追いつめられ疲弊させられている。

「学力向上」を最優先

①「学びの保障」としての予算二〇〇万円が配当されたので、教職員がコロナ対策としてたてた詳細かつ綿密な計画換気のための「網戸」や手洗いのための「水栓」の改善希望は、教育委員会によってことごとく却下された。学校環境を「デジタル化」するためだと称して、「LAN工事」「タブレット」購

入に変更させられたのだ。「ＧＩＧＡスクール構想」と称して、一人一台のタブレット端末を与え、子どもたちに一方的に詰めこむオンラインでの学習、教師にはオンライン授業研修が新たに強制された。学習内容が理解できず不登校になる子どもが続出し、教師は過酷な労働を強いられ疲弊し休職に追いこまれている。

夏休みが四日間に短縮され、そのほとんどは登校日に変更させられた。土曜授業、七時間授業、学力テストの実施・採点・集計・対策などが押しつけられ、数学が一日二時間とか、英語が週五時間（毎日、時には英語の二時間授業）など五教科中心の授業となった（中学校）。芸術教科の音楽はリコーダー駄目、独唱・合唱駄目……、全教科が指導時間・内容・方法など指導計画の抜本的見直しを強制され教育労働者は疲労困憊している。

②学校行事の復活と二学期集中実施の強制によって、中止の予定だった運動会（体育祭）、遠足、学習発表会（文化祭）が復活させられ、二学期（九月以降）は修学旅行、宿泊研修も加わり超多忙になっている。体育祭は、学年ごとに実施し終了後二時間授業という日課に端的なごとく、あくまでも学力向上が中心の学校運営が強制されているのだ。

「宿泊研修」は校内で宿泊し、研修課題の芸術鑑賞は生徒の作品鑑賞に変更。スポーツやマスゲームなどのレクリエーションも中止、メイン企画の調理・会食は仕出し弁当。翌朝、顔も洗わず帰宅するというもので、とりくむ主体である児童・生徒や指導に当たる教師への教育的配慮などまったくないのだ。修学旅行は、バスを追加して座席は窓側一列にし車内会話もレクも禁止。しかし、新幹線の座席は隣り合わせという、まったくチグハグなコロナ対策。手続きが煩雑極まりない「ＧｏＴｏトラベル」の利用によって教員・事務職員の負担が増え混乱が生じてもいる。

コロナ感染拡大のもとでの業務の膨大化

教育労働者の通常勤務に、検温調査、手洗い指導、校内消毒、給食配膳、環境整備など新たな業務が担任を中心に課せられて、異常なほどに長時間・過重労働となっている。

①朝七時から児童・生徒一人一人に健康チェック、気がかりな子の保護者には確認の電話。マスク指導をつねに心がけ、午前中二回の教室喚気とうがい手洗い指導。給食は担任が廊下で配膳・おかわり指導。給食後は清掃とうがい手洗い指導。

②授業終了後、消毒作業を開始する前に、まず子どもたちを一人残らず下校させなければならない。この完全下校指導を午後、玄関に「密」を避けて全校の子どもを集めて実施する。その後に、校内・教室の消毒・清掃作業。休憩時間には職員会議がもたれるので休憩もできないのだ。その後、やっと担任の諸業務をこなし、それでも消化できない莫大な業務は持ち帰り残業だ。深夜十二時を過ぎることも少なくない。

変形労働時間制導入にむけた「時短ハラスメント」の横行

かてて加えて追い撃ちをかけているのが、校長による「時短ハラスメント」と呼ばれる労務管理強化の横行である。

「勤務時間を守れ」「さっさと退勤しろ」「時間内で仕事ができないのは無能だからだ」「〇時には施錠するぞ」と教職員にたいして恫喝しまくっているのだ。

怒りに燃える組合員は一致団結し非組合員を巻きこみ、「持ち帰り残業をやれというのか」「膨大な仕事を押しつけておいて施錠するとは何事だ」「仕事を減らせ」「欠員補充しろ」と追及する。すると校長は、「本校の超勤状況は悪いと教育委員会から言われている」「じゃあどうすれと言うんだ」などと暴言を吐き、居直り開き直る。実に、許し難いではないか！

この異常な現実がなぜ生起しているのか。それは、文部科学省が「一年単位の変形労働時間制」の都道府県・政令指定都市における条例化のために勤務時間の上限を定めた「指針」をうちだしたからなのだ（詳細は本誌本号の蔵本耕平論文参照）。

文部科学省は、制度導入にあたって「指針に掲げる措置をすべて講ずる必要がある」として、たとえば「一年単位の変形労働時間制」を適用するさいにもその期間の前年度において教員の「時間外在校等時間」が「指針」に定められた「上限時間」(月四十五時間・年三六〇時間)をオーバーしないように「措置を講じろ」と教育委員会・校長に指示・命令している。業務の削減どころか、新学習指導要領の実施と感染拡大への対応で業務が激増しているのが、いまの学校現場である。このときに「超勤を減らせ」などということは、教員の労働強度を極限的に増進させよ、ということにほかならないのだ。

「変形労働時間制」が導入されれば、こうした労務管理の強化を手段として教職員によりいっそうの労働強化が強制されるのは明らかなのだ。

われわれ革命的・戦闘的教育労働者は、「一年単位の変形労働時間制」の導入を文科省との協議の成果とおしだす日教組本部、「給特法撤廃」を掲げようとしない全教系指導部の裏切りと歪曲・闘争放棄をのりこえたたかおう！　新学習指導要領の実施と、新型コロナ感染対策による膨大な業務のゆえに疲労困憊し心身の疾患にさえ追いこまれ苦悩する多くの教育労働者の憤怒を闘いのバネへとつくりかえ、超長時間労働の強制と労働強化に反対する闘いの高揚を切り拓こう！　職場から「能力主義・国家主義教育反対」「一年単位の変形労働時間制導入反対」の闘いをつくりだそう！

〔本誌掲載の関連論文〕

- 歴史・公民教科書の実質的な「国定化」を許すな　草津　洋（第三一〇号）
- 労働強化への怒りに燃える教育現場　城向　進（第三〇九号）
- 「給特法」改定を尻押しする日教組指導部を弾劾せよ　前崎　勇（第三〇八号）
- 臨時休校のもとで苦闘する教育労働者　日比成二（第三〇七号）
- 給特法改定案の可決・成立弾劾！　学校現場への年単位の変形労働時間制導入を許すな！　給特法を撤廃せよ　（第三〇五号）
- 教職員の「働き方改革」への人事評価導入を許すな　木場潟涼（第三〇四号）

教育労働者への一年単位の変形労働時間制適用反対！

蔵本耕平

二〇二〇年七月十七日、文部科学省は、これまで業務の繁忙期と閑散期が明瞭な特定の民間企業にしか適用されていない「一年単位の変形労働時間制」を、二一年四月から公立学校教員にも適用するために、改定「給特法」の「施行規則」を「省令」として告示した。同時に「一年間の変形労働時間制」導入にあたっての教員の時間外労働時間の上限などを定めた「指針」と、「休日の『まとめ取り』に関する条例・規則案（例）」を、都道府県・政令指定都市の教育委員会にたいして通知した。政府・文科省は、各地の自治体にこの制度の導入のための条例を早期に制定させるために、ひな形となる文書を一挙に発したのだ。（補・参照）

「一年単位の変形労働時間制」は、学校の「繁忙期」に教員の所定勤務時間を一日最大十時間、一週五十二時間まで延長し、この延長された分の労働時間を夏休みや年末年始の「閑散期」に休日として振り替えるというものである。これを「リフレッシュ」のための「休日のまとめ取り」を可能にするものであり、学校版「働き方改革」の目玉であると大宣伝しているのが文科省である。

だが、これはたんなる勤務時間の振り替えでしかないのであって、超過勤務時間がただ見かけ上「削減」されるにすぎない。超長時間労働の是正どころか長時間労働を助長するものでしかないのだ。そもそも、四～五月の疲労を夏休みに〝回復〟できるはずもない。政府・文科省は「働き方改革」のかけ声などなかったかのようにして、新型コロナ感染拡大への対応のために、教員を夏休み返上でコキ使い・疲労困憊させてきた。この文科省が〝「夏休みの休日のまとめ取り」で「リフレッシュ」せよ〟などということ自体があまりにも欺瞞的なのだ。いま教育現場ではこの制度の導入に反対する声が沸きあがっている。

われわれはいまこそ「一年単位の変形労働時間制」の都道府県・政令指定都市における条例化を阻止するために奮闘しようではないか！

残業代ゼロ・働かせ放題の悪法に固執する文科省

今回の「省令」は、「一年単位の変形労働時間制」を公立学校の教員に適用するために一九年十二月に改定された「給特法」にもとづいている。この改定は、「一年単位の変形労働時間制」を規定している労働基準法第三十二条の四の一部を教育職員に限って適用できるように「読み替え」、「給特法」の条文に付加するというものであった。

この「読み替え」の核心は、労基法に規定された労使協定を否定するというきわめて悪らつなものである。

まず第一に、労基法では労働時間その他の労働条件は労使協定において定めるべきものとされているのであるが、文科省は、これを各地方自治体の条例で定めることができるとしたのである。労基法では「一年単位の変形労働時間制を導入」するためには、この労使協定において、①対象となる労働者、②対象期間、③特定期間、④対象となる期間における労働日と労働時間、⑤その他厚生労働省令で定める事項を記載しなければならない、とされている。だが、改定「給特法」は、これらについて労働組合（や労働者の過半数を代表する者）の同意なく・ことごとく地方自治体の「条例で定める」と「読み替え」たのだ。

　第二には、労基法において「一年単位の変形労働時間制」導入にあたっての様ざまな条件（対象期間における労働日数の限度、一日および一週間労働時間の限度、対象期間および特定期間における連続して労働させる日数の限度等々）を「厚生労働省令によって定める」とあるものを、労使協定を否定してすべて「文部科学省令」で定めるとしたことである。このことによって教育労働者の労働条件が文科省の意向に大きく縛られることになるのだ。

　旧「給特法」では、教員には「限定四項目」（注1）以外の業務では残業を命じることはできないとされている。これをもって政府・文科省は教員のほとんどすべての超過勤務を「自主的活動」とみなし、超勤手当の発生する「残業」とは認めてこなかった。そして教員は、残業時間にかんする労使協定を規定した労基法第三十六条や、残業代にかんする第三十七条の適用対象から除外されたのである。しかも一九年一月の中教審答申においても、「給特法」は堅持された。そしていま、労基法第三十二条を適用する場合にも、労使協定を、「勤務条件条例主義」なる屁理屈をもって否定したのが政府・文科省である。労基法を「読み替えて適用する」などというのは実質上、教育労働者を労基法の適用対象から除外することを固持することにほかならないのだ。

欺瞞的な「休日のまとめ取り」

　文科省は、「一年単位の変形労働時間制」導入によって「教師の業務や勤務時間を縮減するものではありません」が、「長期休業期間等において休日を集中して確保することで、教師のリフレッシュの時間等を確保し、ひいては児童生徒等に対して効果的な教育活動」と「教職の魅力向上に資することにより意欲と能力のある人材が教師を目指すことにつながる」（文科省「『休日のまとめ取り』のための一年単位の変形労働時間制〜導入の手引き〜」）などと述べている。だが、これほど教育労働者を愚弄するものはない。

学校現場は夏休み期間といえども超過勤務は必ず発生しているのであって、「閑散期」とみなすことなどできない。しかも例年でも部活動や補習授業、種々の研修、来学期の準備などに追われて、夏期休暇も思うように取れないのが現実である。一年中超過勤務が発生する学校現場に「一年単位の変形労働時間制」を導入することなどどだいデタラメというべきなのだ。

文科省は「指針」において、「学校の運営状態に踏まえれば」長期休業中に「五日間程度の休日を確保することが限度」であり「延長できる所定の勤務時間は四十時間程度」であると述べている。勤務時間延長は抑制的なものだとおしだしているのだ。だが、これも欺瞞である。その五日間の従来業務の削減については（わずかに部活動の外部委託や大会の見直しなどを提示してはいても）、じっさいにはほとんどを現場の自助努力に帰しているのだ。教員には通常の勤務日の労働時間の延長と労働強度の増進を同時にもたらすものではないか。しかも有給休暇をなんとかこの夏休み期間に消化している多くの教育労働者は、五日間の「休日」が付与されてもこれまでの有給休暇を返上することになりかねないのである。まさにこの制度は、教員の「リフレッシュ」をもたらすものどころかその逆なのだ。

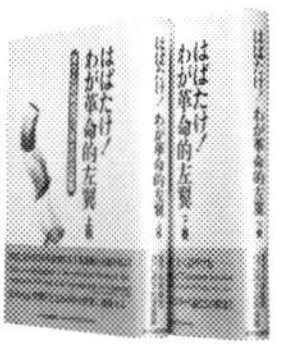

「制度導入」のための姑息な手段

文科省はこの制度の導入にあたっての「条件」を以下のように述べている。

制度導入にあたっては、教育委員会・校長は、「指針に掲げる措置を全て講ずる必要」があるとしている。たとえば「在校等時間」(註2)について、「一年単位の変形労働時間制」を適用する期間の前年度において「時間外在校等時間」が「上限時間」の範囲内(月四十五時間・年三六〇時間)であることとしている。この「上限時間」をオーバーさせないように「措置を講じ」ろ、というわけなのである。だが、この「措置」なるものは、業務の大幅削減もなくただ超勤時間を抑制せよ、というだけのものなのだ。文科省は、「変形労働時間制」導入後は月四十二時間・年三二〇時間を「上限」とするとしている。しかも、「上限」を越えた長時間労働が発生している学校にはこの制度は適用しないというのが文科省である。あたかも教員の負担が軽減されるかのように見せかけるのに必死なのが文科省なのだ。だが、このことは、彼らが業務の効率化・能率化による労働強度の増進を策していることを示してあまりあるのだ。

「愛国心」教育、ＩＣＴ(情報通信技術)教育、英語教育の早期化を盛りこんだ新指導要領の実施によっていま、学校業務は大幅に増加している。しかも新型コロナ感染拡大のもとでは業務過多状態が常態化させられているのだ。この二重三重の業務量の増加のなかで、労働時間を「縮減」することは、労働強度を極限的に強化することしか意味しない。しかも教員の定数増を要求する教育現場の声も無視抹殺しているのが文科省ではないか。

いま、「働き方改革」推進のかけ声のもと、管理職によって「超勤削減」のための〝時短ハラスメント〟と呼ばれる労務管理強化が横行している。「変形労働時間制」が学校現場に導入されれば、こうした労務管理強化を手段として教員によりいっそうの労働強化が強制されるのは明らかだ。

文科省が「制度」は「選択的なもの」であると強

調していることもまったく欺瞞である。文科省は「本制度の対象者の決定等に当たっては、校長が各教育職員と対話を行い個々の事情を斟酌し、具体的な運用方法の決定の過程において教育委員会、校長及び教育職員が丁寧に話し合い、共通認識を持って本制度を活用することが重要です」などと言う。しかしこれは、育児・介護など「特別の配慮を要する者」に限定されており、しかも「勤務日や勤務時間の割振りの工夫」「対象期間を短く設定」「そもそも本制度の対象としない」などの選択肢を例示しているにすぎず、教育労働者個々人が自由に「働き方」を選択できるというものではまったくない。「配慮」などというのは、せいぜい校長の努力目標程度のものにすぎないのだ。

文科省を尻押しする既成教組指導部をのりこえ闘おう

日教組本部は条例化阻止の闘いはおろか、「一年単位の変形労働時間制」そのものへの批判もまったく唱えていない。むしろ「在校等時間」の「上限規制」や「選択的導入」がうちだされたことをもってこの制度が導入されることを文科省との協議の成果だとおしだし、この制度を休日取得のために活用せよと叫びはじめているのが日教組本部なのだ。「上限時間規制」が「指針」化したといっても、それは労働強化しかもたらさないということにはかたくなに口を閉ざしているのだ。

他方、「一年単位の変形労働時間制の導入に強く反対する」という全教の日共中央盲従の指導部はどうか。彼らもまた、「上限ガイドラインの指針化」を美化し、「働き方改革」に資するために「休日のまとめ取り」を有効に実現するための方策を提言しているにすぎない。そもそも長時間労働の法的根拠である「給特法」の「原則として時間外勤務を命じない」という条文を今もって「教職の特殊性」を認めたものだとして「堅持」を要求し、「給特法撤廃」を掲げていないのが日共系指導部である。

われわれは、こうした既成指導部の裏切りと歪曲

・闘争放棄をのりこえたたかうのでなければならない。コロナ感染拡大のもとで長時間残業の強制、教育のＩＣＴによるシステム化、「愛国心」教育・能力主義教育に貫かれた新学習指導要領の実施による業務の膨大化などに直面し疲労困憊と心身の疾患に苛まれている多くの教育労働者の怒りを結集しながら、職場深部から闘いをつくりだし、〈一年単位の変形労働時間制の導入反対！　条例制定阻止！　給特法撤廃！〉の闘いの高揚をかちとるためによりいっそう奮闘するのでなければならない。

註1　「給特法」において所定時間外の勤務は原則命じることはできないとされているが、①生徒の実習にかんする業務、②学校行事にかんする業務、③教職員会議にかんする業務、④非常災害等のやむをえない場合の業務、の四項目は例外とされている。ただしこれら四項目の業務であっても残業代は支給されない。給与の四％にあたる額（月八時間の残業代に相当）を「教職調整額」として支給しているだけである。日々大量に発生しているこの四項目以外の超過勤務は「自主的活動」とみなされてきた。政府・文科省はこの法律を適用して超長時間の不払い残業を教育労働者に強制してきた。

註2　「在校等時間」

「給特法」においては、教員の所定時間外労働は労基法に規定された残業とはみなされない。それゆえに教員の超勤時間を「残業時間」ではなく「在校等時間」などと表現しているのが「給特法」を固持する政府・文科省である。

〔補〕

「公立の義務教育諸学校等の教育職員の給与等に関する特別措置法施行規則」（二〇年七月十七日の文科省「省令」）の概要

・一日の勤務時間の限度は十時間（休憩時間六十分）、一週間の勤務時間の限度は五十二時間とする。ただし、対象期間が三ヵ月を超える場合において、勤務時間が四十八時間を超える週が連続三週間以下、三ヵ月ごとに区分した期間における勤務時間が四十八時間を超える週が三週間以下とする

・連続して勤務させる日数の限度は六日とする
・育児や介護等を行う者については配慮する
・「一年単位の変形労働時間制」を活用する場合の対象期間には、長期休業期間等を含め、そこに勤務時間が割り振られない日を連続して設定する
・教育委員会は「一年単位の変形労働時間制」を活用する場合には、「指針」に定める措置を講ずるものとする

「公立学校の教育職員の業務量の適切な管理その他教育職員の服務を監督する教育委員会が教育職員の健康及び福祉の確保を図るために講ずべき措置に関する指針」（「指針」）の概要

・「一年単位の変形労働時間制」を適用するためには、教育委員会・校長は、前年度において教育職員の時間外在校等時間が上限時間の範囲内（この場合は「月四十五時間・年三六〇時間」）であること、あるいは範囲内となることが見込まれる場合に限る
・長期休業期間等において休日を集中して確保することを目的とする場合に限る
・「一年単位の変形労働時間制」を適用する場合は、教育職員の時間外在校等時間について上限時間を「月四十二時間・年三二〇時間」とする

導入に際して講ずべき措置～「以下の全ての措置を講じること」

教育職員に対する措置
・タイムカードによる記録等の客観的な方法等による在校等時間の把握を行う
・部活動の休養日及び活動時間を部活動ガイドラインの範囲内とする
・通常の正規の勤務時間を超える割振りについては、長期休業期間等で確保できる勤務時間を割り振らない日の日数を考慮した上で、年度初め、学校行事が行われる時期等、対象期間のうち業務量が多い一部の時期に限り行う
・部活動等の延長・追加、業務の新たな付加により、在校等時間を増加させないようにする

学校に関する措置
・部活動、研修その他の長期休業期間等における業務量の縮減を図る
・超勤四項目の臨時又は緊急のやむを得ない業務を除き、職員会議、研修等の業務については、通常の正規の勤務時間内において行う
・全ての教育職員に画一的に適用するのではなく、育児や介護を行う者等については配慮する

コロナ感染拡大下で「全国学力テスト」を強行した沖縄県教委

沖山創一

沖縄県教育委員会は、文部科学省が中止した「全国学力・学習状況調査」＝全国学力テストを、二〇二〇年七月から九月にかけて全県の小学校六年生、中学校三年生を対象として県独自に実施した。このテストは、文科省が配布したテスト問題冊子を使っておこなわれた。学校現場において新型コロナ感染症対策などに教職員が追いまくられているなかでのこの学テの強行は、まことに許しがたいものである。ここに、全国学力テストの順位を上げることを自己目的化する県教委の教育施策の犯罪性が如実にあらわになったのだ。

わがたたかう教育労働者たちは、怒り沸騰する組合員たちを組織してこの「全国学力テスト」の強行実施に反対する闘いを〈新学習指導要領にもとづく能力主義教育の強化反対！〉を鮮明にして全力でたたかいぬいた。

学校現場の状況を無視したテスト強行に組合員の怒り

文科省は新型コロナ感染拡大のもとで全国学力テスト実施を断念したとはいえ、六月にその問題冊子を全国に配布して「児童・生徒の学力把握に活用せよ」と指導した。しかし、他の都道府県教委は〝コロナ感染が拡大しているもとでの実施は無理だ〟と断念した。ところが、沖縄県教委だけはこのテストの実施を唯一、強行したのである。県教委は、今回のテスト実施を、「休校措置等による現在の児童生徒の学習状況を把握し、学習指導の充実に活かす」ため、などと正当化した。だがこの県教委の言辞は、「とてもテストどころではない」という学校現場からの悲鳴を無視したものであり、テスト強行は犯罪的な暴挙にほかならない。

いま教職員は登校してくる子どもたちの検温、「三密」を避けるための指導、放課後も教室やトイレを消毒するなど、子どもたちの感染を防ぐための対策に奮闘している。それだけではない。安倍政権がおこなった四～五月のいっせい臨時休校による授業の遅れをとり戻すことを教委から求められているために、夏休みが約十日間に短縮され、小学校は毎日が六校時授業、学校によっては七校時授業、さらに土曜日も一週おきに授業をやらなければならなくなっている。こうした状況をもまったく無視して、県教委は全国学テ問題冊子を使ったテストを強行したのだ。

この許しがたい攻撃にたいして、当然にも学校現場では「いまは子どもたちをコロナから守ることで精一杯だ」「県教委は現場への配慮がまったく欠けている」等々、怒りの声が噴出した。わがたたかう教育労働者たちは組合員たちとともに怒りに燃えて反撃に起ちあがった。こうした闘いに支えられて「全国学テの沖縄独自実施をただちに中止せよ」という闘いが各地域に広がっていった。この組合員の声に後押しされて沖教組各支部も本部へ「組合として闘いに取り組め」と突き上げをおこなった。こうして「全国学テの沖縄独自実施反対」の声が高まるなか沖教組本部ダラ幹もようやく重い腰をあげざるをえなくなったのだ。だが彼らは、県教委との交渉ですらない「意見交換」の場をもったにすぎなかった。

この沖教組との「意見交換」なるもののなかで県教委は「実施の判断は各学校に任せる」「実施しないことも認める」と一定程度譲歩したポーズをとりながら、しかし各学校に出した全国学テ「実施」通知の撤回を最後まで拒否したのだ。

その後、県教委はあくまでも各学校にこのテストを実施させることを狙って、①「実施しない学校はその根拠を示すこと」、②全国学テ問題冊子を「どう使用するか報告せよ」と通知し各学校に圧力をかけたのである。この悪らつな攻撃によって多くの学校長は「県が決めたことをやらないわけにはいかない」とテスト実施を余儀なくさせられた。

この県教委によるテスト実施の強要にたいして、わがたたかう教育労働者たちは粘り強くたたかいぬいた。この奮闘によって実に三割近い学校においてこのテストを実施させなかったのである。

「学力向上推進」を呼号し順位競争に駆りたて

ではなぜ沖縄県教委は全国で唯一、全国学力テスト問題冊子を使った県独自のテストを強行したのか。

そもそも県教委の「学力向上推進」施策なるものは、全国学テの成績を上げることを自己目的化する以外のなにものでもない。前教育長・諸見里《もろみざと》は、「テストをやるからには『君たちは最下位じゃない』ということを子どもたちに見せてあげたかった」などと語っている。全国学力テストの県別順位を上げることが「沖縄の子どもたちのため」と盲信する県教委は、一四年にようやく小学校六年生で学力テストの全国最下位を脱したことを「成果」と誇り、この成績の「地平」を維持すること、そして中学校三年生が「最下位」から脱することを最大の目標にして「学力向上推進」の諸施策をおしすすめてきたのだ。たとえ二〇年の全国学テが中止になろうとも、二一年四月の全国学テにむけて文科省が配布した問題冊子を使ってテスト対策をコロナ感染拡大下でもやりつづけようというのだ。

沖縄県教委がここまで〝全国学テの独自実施〟に狂奔したのは、彼らがこのかん文科省の施策に忠実に従ってきたことの帰結にほかならない。

文科省は、能力主義的な「教育改革」政策を学校現場に貫徹するために全国学力テストを毎年、悉皆《しっかい》で実施し、各都道府県の点数を公表して序列をつけ競争をあおってきた。この文科省の指導に忠実に従った沖縄県教委は、全国学テ対策を中軸にすえた独自の「学力向上推進」施策を策定し、とりくみを強化してきた。彼らは「学力向上推進プロジェクトⅠ」(二〇一七〜一九年)で「授業改善」と称して新学習指導要領でうちだされている「主体的で対話的で深い学び」を実現できる授業をめざせと教員たちに強要し、二〇年からの「5か年プラン・プロジェクトⅡ」で「学校改善」の名のもとに「学力向上推進」を学校全体として組織的にとりくむことをおしだし、労務管理を飛躍的に強化することをめざしてきた。

この施策にもとづいて沖縄県教委は全国学テの成績を上位におしあげるためにありとあらゆる対策を講じてきた。その一つは、毎年四月に実施される全国学テにむけて一月から「過去問対策」を学校現場に徹底したことである。四月に入ると小学校六年生、中学校三年生の通常の授業を中止してすべての授業時間を「過去問対策」に充てることを全県の各学校に強制してきたのが県教委である。二つめは、学習障がいをもつ「特別支援学級」の子どもたちをテストの対象から外してきたこと。三つめには、全国学テに備えるために年間を通して、朝の学習、昼の学習、放課後の「さよなら学習」と子どもたちを学習漬けにしていることである。さらにこうした全国学テ対策の時間確保のために、戦後沖縄の学校教育で重視されてきた家庭訪問を中止し、運動会の練習を二週間以内とするなど、行事等を廃止・縮小したのが県教委である。

そればかりではない。教職員にたいしては放課後の補習を強制し、「わかる授業」と称して「授業改善」を押しつけてきた。県教委・「学力向上推進室」の指導主事らが学校を訪問し教員の「授業」を直接指導しているのだ。指導主事は指導マニュアルにのっとって板書の仕方まで、しかもチョークの色を変えておこなえなどと微に入り細にわたる画一的な授業のやり方を押しつけてきた。それに加えて、日常的に教室を回っての授業視察をおこなうように校長・教頭を指導し、教員の授業の監視・点検を強化してきたのである。

このような県教委による「学力向上推進」施策のもとで、いま学校現場では悲惨な事態が生みだされている。毎日の学習漬け（＝テスト対策漬け）で勉強嫌いになる子どもが増えている。学校で居場所をなくした児童・生徒がいじめや暴力行為に走っている。不登校も大幅に増加し、一九年度は小学校一二六二人、中学校で二一四四人で、いずれも前年より百数十人増えており、全国平均を大きく上回っている。沖縄県の不登校数は県教委が全国学テ対策を強化した一四年以後に飛躍的に増加したのであり、その原因は、沖縄の子どもの貧困率の高さだけでなく、全国学テの順位競争に子どもと教員を駆りたてる県教委の「学力向上推進」施策にこそあるのだ。

一方、教職員たちはテスト問題の作成、採点、Ｗｅｂ入力、それに補習授業・その準備と仕事に追いまくられ、教材研究をする時間も子どもたちに接する時間も休む時間も奪われている。月八十時間以上の過労死ラインを超える残業、さらに持ち帰り残業を強いられている。県教委の調査でさえ土曜日・日曜日の「出勤」が小学校の教員で三〇％以上、中学校で四八％もいるのだ。

教職員は、学力向上推進に突進する県教委のもとで労務管理が強化されている。一人ひとりの資質や能力まで評価の対象にされ、その評価が賃金に反映される教職員評価システムの導入によって、教職員は過労死するほどに追いこまれている。しかも、人事評価においてより短い時間で成果をあげることを推奨する「働き方改革」の観点が導入されることによって、仕事量の増大ゆえに学校で残業せざるをえない教職員を、管理職などが〝無能だ〟と決めつける「時短ハラスメント」も横行している。

こうしたなかで教職員は肉体的にも精神的にも疲弊して病気で休まざるをえない状況に追いこまれている。一九年度の沖縄県の病気休職者は四一九人で、教職員総数に占める比率で断トツに全国ワーストである。そのうち精神疾患で病気休職を余儀なくされている教職員の割合は全国平均の二倍である。この数値には病気で三ヵ月未満休む「病気休暇」は含まれておらず、さらに数倍の病休者がいるといわれている。教育労働者たちはこれほどに苛酷な状況に突き落とされているのだ。

文科省・県教委による能力主義教育の強化を許すな！

文科省が全国学力テストを実施するのは、新学習指導要領にもとづく「教育改革」を各教委・学校に迫るためにほかならない。

二〇年度から小学校で新学習指導要領が本格実施されている。これまでの英語活動が三・四年生に下り、五・六年生の英語が教科になった。理科教育も強化された。すでに一八年度から教科「道徳」が小学校で全面実施されている。そのもとで小学校では授業時数も増え、教科内容も高度になっている。英語の授業も多くの小学校で英語教授法を習得していない担任教員が担当させられ、負担過重に輪をかけている。

この新学習指導要領には政府・文科省の推進する能力主義教育、「愛国心」教育の内容が詰めこまれている。文科省は独占資本家どもの要請に応えつつ「予測不可能な社会」を切り拓き国際的にビジネスをリードできる人材や先端技術を開発しうる「イノベーション人材」の育成を、同時に軍事強国日本を支える「愛国心」を併せもった人材の育成を狙っているのだ。

われわれは文科省・県教委による能力主義教育の強化に反対する闘いを、文科省の攻撃を補完・尻押しする日教組本部による「現場からの教育改革」の運動への歪曲をのりこえたたかおう！「学力向上」競争に子ども・教員を駆りたてる全国学力テストの実施反対！文科省による新学習指導要領にもとづく能力主義教育・「愛国心」教育の徹底をうち砕け！

教育労働者にたいする長時間労働の強制・労務管理の強化反対！一年単位の変形労働時間制の学校現場への導入を阻止しよう！

労働組合を戦闘的に強化し、職場深部から闘いの高揚を創りだしていこう！

郵政年末始繁忙「短期組立ゆうメイトゼロ」施策の実施弾劾

中尾功

郵政経営陣は、新型コロナウイルス感染拡大のもとで迎える初の二〇二〇年度の年末始繁忙において、「短期組立ゆうメイト雇用ゼロ」施策（以下「ゼロ配置」と略す）の徹底化をうちだした。彼らは、「人件費」を削減するために、「短期組立ゆうメイト」（年賀葉書を配達順に揃える短期アルバイト）の雇用を徹底的に抑えこみ、「現有勢力」の労働者をこき使うことを企んでいるのだ。

ところが、労働者に労働強化を強制する以外の何ものでもないこの「ゼロ配置」を唯々諾々と受け入れたのがＪＰ労組本部だ。

郵政のたたかう労働者のみなさん。事業危機のりきりのための経営陣による郵政労働者にたいする犠牲転嫁を許さず、これに全面協力する本部を弾劾し断固たたかおう。そのために以下、郵政経営陣の「二〇年度年末年始繁忙期業務運行計画」の反動性を（東京管内を軸に）暴露する。

一　人件費削減に血道をあげる経営陣

経営陣は、新型コロナ感染による営業の低迷や年賀販売の低下で営業収益が減少するなか（註）、「コストコントロール」と称する徹底した人件費・経費削減策を強行し、あくまでも増益を成し遂げようとしている。

「ゼロ配置」の一挙的拡大

東京支社は、管内の集配局八十五局のうち、「ゼロ配置」完全実施局を一挙に八十局にまで拡大した（一九年は二十九局）。これを集配班数でみれば、全都九四三班のうち実に九〇八もの班で「ゼロ配置」の実施となる（二〇年十月現在）。経営陣はこの「ゼロ配置」によって、東京管内の年末始繁忙期の「短期組立ゆうメイト」を、一九年比で一挙に三〇〇〇人以上（五十人以上が二十九局）も減らすことができるとうそぶいているのだ。

経営陣は、「ゼロ配置」を実施するにあたって、「2パス交付（配達すべき郵便物を区分機に二度通す（＝2パス）ことによって配達順に揃える作業）された年賀郵便物は『短期アルバイト』が組立したものと同義」とおしだしている。区分機の道順組立＝「2パス」の区分率が九四・七％に上がり、「点検して道順に並べ直す」作業を担当する「短期組立ゆうメイト」が不要になった、というのだ。だがこれは、「短期組立ゆうメイト」をゼロにするための口実にほかならない。実際には「短期組立ゆうメイト」が担っていた業務がすべてなくなるわけでなく、その業務を郵便労働者にたいする労働強化の強制によって補おうとしているのが経営陣だ。彼らにとって東京管内だけで一億円以上もの「人件費」削減になる「短期組立ゆうメイト」削減ありきなのだ。

東京支社は「（年末始繁忙を）現有勢力でやってもらう」などと言いながら、集配労働者にたいする次のような策をうちだした。

その典型が、①最繁忙期間（十二月二十五日〜元旦まで）は基本的に全員出勤させることである（休配日となる十二月二十七日と一月二日に一定程度休ませる）。経営陣は意図的に週休・非番を最繁忙期間から外し、振り替えを徹底させ、四週間（一指定）のなかで週休四日、非番四日をどこかに（最繁忙期を外して）指定すればよい、と居直っているのだ。つまり、最繁忙期間は休ませない、長期間、長時間連続して働けということなのである。このことは、休日の買い上げや超勤手当の削減でもある。

また、②十二月三十一日から一月五日の間は、混合区（速達などの配達）の二人分の担務を一人の労働者にやらせるとともに、その労働者の勤務を「通し勤務」（日中から夜間まで）とし、少しでも手が空く時間があれば組立や配達の応援をせよと指示をしている。

そして③変形勤務の徹底化である。曜日による郵便物の波動性を勘案し変形勤務を指定せよと。とくに二十七日の日曜日は通常郵便の配達がないので七時間勤務にして、三十日の水曜日は年賀郵便が増えるので九時間勤務をやるように指示しているのである。局所によっては十時間変形勤務を使用するところもあるのだ。

このようにして経営陣は集配労働者を徹底的にこき使うことで「ゼロ配置」・コスト削減を強行しようとしているのだ。こんな悪辣なことが許せるか！

年賀組立業務改変の強要

さらに経営陣が徹底化せよと号令しているのが年賀組立業務の改変である。彼らは、区分機の道順組立率が向上したと称して、組立整理してある年賀用道順組立整理箱（通称サオ）の年賀に直接差し込み（チョクサシ）をしろと指示している。だが、このような業務変更は、集配労働者にとって極度の緊張を強いるものとなるのだ。

これまでは区分機の2パス処理によって住所・あて名を元に配達順に寄せられた年賀郵便を、「短期組立ゆうメイト」が戸別に並べ替える作業をしていた。具体的には、「ゆうメイト」は配達原簿の名簿に照らして、①手区分された年賀郵便の組み込み。

②区分機の2パス処理では正確に戸別区分ができない同一番地や類似番地、集合住宅の部屋番号で寄せられたものの修正。③誤組立された年賀郵便のはじき出し（住所が違っていても名前が同じだと同一の宛先だと誤区分するという区分機の特性がある）、④転居者や名簿にない者、判断のつかないもののはじき出し、といった作業をおこない年賀郵便の整理整頓をおこなっていた。そして、集配労働者は、a「ゆうメイト」がはじき出した年賀郵便（③と④）を点検し、現住、転居、不明に分け、b「ゆうメイト」が整理（①と②）した年賀郵便の点検と修正をおこない、はじき出されていた現住者を組み入れたりして戸別組立を完成させていた。

ところが、経営陣によるこの「ゼロ配置」施策の強行実施によって集配労働者は、実際に住人が居住しているか否かなどの点検とともに、従来「ゆうメイト」が担っていた手組分年賀の組み込み、入り組んだ部分の修正、誤区分や名簿にないもののはじき出し、をも同時におこなわなければならなくなる。年末で郵便物が増え、かつ絶対的な人員不足のなかで通常配達だけでもヘトヘトになっている。そのうえ帰局後に、神経をすりへらす年賀組立をやらされることは、集配労働者にとって苦痛以外の何ものでもないではないか。

部を超えた応援体制強化

さらに経営陣は、何が何でも「ゼロ配置」を強行するために、部を超えた応援体制を構築せよとがなりたてている。具体的には、①総務部・郵便部、計画および集荷担当社員の応援体制を構築せよ、と。要するに、時間帯別に業務量を把握し、班・部を超えた応援をさせるということなのである（とくに仕事納めの二十八日以降は徹底してやれということだ）。②通配担当者を中勤・夜勤にシフトし、夕方・夜間帯のゆうパック配達の応援をさせる。③ゆうパケット増加による二輪配達の負担軽減と称して、高層マンション・配達密集地の四輪活用で対応させる。このように、部をも超えていつ誰がどこに応援するかを事細かに指示しやらせようとしているのである。とにかく労働者を無駄なく使えるだけ使おうということなのだ。

以上見てきたように経営陣による「ゼロ配置」の徹底によって、正規・非正規を問わず集配労働者は、最繁忙期に全員・連続して出勤させられたり、変形勤務や応援を強制させられたり、疲労が蓄積するなかで容赦ない労働強化にたたきこまれることになる。絶対的な人員不足ゆえに恒常的に欠区がうみだされ、コストコントロールの名のもとに〝無駄な超勤や廃休をするな〟〝早く配達を終えて帰ってこい〟などと恫喝され、帰局したならば再配達の応援をしろ、ゆうパック配達の応援をしろ、年賀組立をやれ……等々とこき使われる。まさに息つく暇がないほど徹底的に働かされるのだ。二十五日以降は物増で連日通常配達だけで目いっぱいになるにもかかわらず、年賀葉書の配達準備作業も組立ゆうメイトなしで配達担当者一人でやらされるのだ。

集配労働者は、年末始の酷寒のなかで長期間・長時間働かされることにより疲労困憊となり、免疫力は低下し新型コロナ感染の危険にもさらされるではないか。それだけではない。限界を超えるような業務量を押しつけられることにより交通事故にあう危険性が飛躍的に高まるのだ（一九年の十一月一日から十二月三十一日の二ヵ月間だけでも六三四件も発生している）。こんなことが許せるか！

書状区分機の有効活用と集中処理の拡大

経営陣は、例年にまして区分機の有効活用を叫んでいる。これこそ「ゼロ配置」を強行するためであり、雇用や超勤を徹底的に抑えるためなのだ。東京支社管内では、十二月十五日の年賀引き受け開始から（区分機での処理は二十日からでそれまでは保留しておく）一月七日までの年賀取り扱い全期間（一部は期間限定）、業務移管する局を昨年より五局増やして六十一局分とする。そしてこれらの局の郵便物を、新東京、東京北部、東京多摩の地域区分局をはじめとした十六局で集中処理するとうちだしている。この集中処理体制でやれば臨時的な雇用は最小限でできるし、年賀区分機五台も削減できると言い放っているのだ。

経営陣は、現場当局者にたいして差立区分や配達（道順）区分する区分機ごとの時間帯別稼働計画をたてさせるとともに、区分処理率・読み取り率を上げるための指導を事細かくおこなっている。また、彼らは集配局での集配労働者の超勤を抑制するために、年賀郵便だけでなく通常郵便の道順（2パス）区分を徹底するように指導しているのである。このように地域区分局や業務移管を受けた集配局では、保守点検以外は区分機をほぼフル稼働になるようにしようとしている。

区分機操作に従事する郵便内務労働者は、昼・深夜を問わず埃・塵、感染危機のなかで、「区分機を空回りさせるな」などと罵声を浴びせられながら、フル稼働する区分機にあわせて郵便物の供給と抜き取りに走りまわされることになる。繁忙期は臨時郵送便も多く、結束時間に追われ飛躍的に労働強化されるのである。人間が機械を使うのではなく、まさに人間が機械に使われるのだ。

二　新型コロナ感染対策の欺瞞性

新型コロナ感染拡大下で初めて迎える繁忙期において、経営陣は感染対策を前面におしだしている。だが、それは決して労働者の健康を守るためではない。ギリギリの体制なのだから、労働者は繁忙期間中、新型コロナに感染しないように自己管理を徹底し、休まず必死で働けということなのだ。また「多数雇用することは局内の三密につながる」などと経営陣がことさら三密回避策を強調している。これは、「ゼロ配置」を正当化するための屁理屈以外の何ものでもないのだ。

そもそもこのかんの郵政経営陣・当局のコロナ感染対策は、「三密回避策」としてのレイアウトの変更はやらない、ビニールシートでの遮蔽策も窓口だけでそれ以外はやらない、消毒などは形式的でおざなり、というものでしかなかった。地方の郵便局ではマスクすら十全に配備されなかった。郵政労働者が次々と罹患し感染が拡大しているにもかかわらず、「国民の生活を守る」インフラとしての役割を果たせなどと業務運行を最優先にして、それに労働者を駆りたててきたのが経営陣なのだ。労働者の健康など屁とも思っていないのだ。このような経営陣が、今繁忙期の最大の課題が感染対策であるかのようにおしだすこと自体が欺瞞的なのだ。

三　全面協力するＪＰ労組本部を許すな

ＪＰ労組本部は、九月十四日に「要求書」を提出したが、経営陣とろくに交渉もせず九月三十日には早ばやと妥結、具体的な労働条件にかかわる問題は現場の労使協議に丸投げした。本部労働貴族どもは、「お客さまへの最高のサービスの提供」と「適正な業務運行確保」をおしだし、会社経営陣のコストコントロール諸施策については全面協力している。経営陣が「ゼロ配置」を強行することによって組合員が極限的な労働強化や賃下げにたたきこまれることについてはいっさい無視している。

感染防止策が最大の「繁忙期間中のテーマ」だと本部はいう。だが、いまもって現場での感染対策がおざなりでしかないにもかかわらず、見て見ぬふりを決めこんでいるではないか。また、郵政労働者がいっそう労働強化にたたきこまれ、それゆえ高まる交通事故の危険性も、本部は一片の安全対策を求めただけなのだ。

しかも本部は、「アフターコロナの時代」における「新たな労働運動のあり方」と称して、中央委員会も「Ｗｅｂ会議」方式とした。意見集約はデジタルツールを使った一方的なものであり、血の通わないコミニュケーションで官僚的に反対意見を封殺しているのだ。

まさしく、本部の妥結の意味するものは、労働者の健康や労働条件については二の次で、事業経営こそが最優先だということなのだ。こんな裏切りが許せるか！

郵政のたたかう労働者は、「雇用ゼロ施策反対！極限的な労働強化反対！」を掲げ、徹底した人員削減を強行する経営陣を弾劾しよう。そして、この経営陣に唱和して労働者にたいする極限的な労働強化を容認する本部を弾劾し、労働諸条件の改善のために奮闘しようではないか。この闘いのなかで労働組合の戦闘的強化をかちとるために全力でたたかおう。

註　引受予測通個数は、①ゆうパック八一六五万個（対前年比一〇三・五％）、②ゆうパケット五三九九万個（同一一六・五％）、③年賀葉書一五億七一〇〇万通（同九一・三％）である。ゆうパックは微増でゆうパケットは大幅な増加、他方で年賀葉書は、大幅に減少する予測となっている。

漫画　米中冷戦怪化皮競《べいちゅうれいせんばけのかわくらべ》　解題

(図版は巻頭カラー頁に掲載)

▨新型コロナウイルス感染症のパンデミックと米中冷戦下の世界戦争の危機の高まりは、「米中二つの巨大大陸が正面衝突」(『解放』二〇二一年新年号「革命の新時代を切り拓け」)。

▨世界の覇者に成り上がろうとする中国の習近平。朝鮮戦争で米軍を敗走させたと中華の民族主義をあおる。〝抗米援習〟で忠誠を誓わせる。「空母キラー」「グアム・キラー」のミサイルを配備。しかし失業者が巷に溢れ「貯金箱」は割れてガタガタ。「社会主義市場経済」の名でＢＡＴＨ(バース＝バイドゥ・アリババ・テンセント・ファーウェイ)が博打。胴元は中国人民銀行総裁・易綱。アリババもテンセントも、創業者の名前が「馬《マー》」。アリババの馬雲《ジャック・マー》は、中国の金融規制を批判して習近平の怒りを買う。首相・李克強は「双循環」の皿回し。モンゴル語禁止の「焚書坑儒」ならぬ「焚書拘蒙」でモンゴル、ウイグル、チベットなど少数民族の弾圧。武漢では、ウイルス研究者の石正麗がコウモリのウイルスを培養。漏れ出たウイルスが「ヒト・モノ・カネ・サービス」の流れに乗ってパンデミックに。香港行政長官・林鄭月娥は「非愛国者」を血祭り。

▨米中が一触即発。台湾の総統・蔡英文は米国の武器援助だのみ。米日豪の三角軍事同盟が中国に対抗。次期国防長官に指名されたオースティンが日豪をしたがえ、日豪がひじタッチ。中国の空母「遼寧」には国防相・魏鳳和。

▨米大統領選でバイデンが勝利。祝う東部エスタブリッシュメント。銃をとり中国・習近平と対峙するバイデンの右足は骨折、新型コロナでの死者の墓穴に左足をとられ、青くなっている。バイデンが対中国の「同盟国の結束」を呼びかけるが、独仏も感染拡大でそれどころではない。失業保険の手続きで労働者の長蛇の列。「自由の女神」の次期副大統領ハリスには奴隷制度が廃止された今も鉄の足枷。ＢＬＭなど人種差別反対運動が噴きあがる。米民主党のシンボルのロバは民主党左派の女性議員オカシオコルテス。それにまたがった老サンダースが「民主社会主義」の気勢。銃でにらみ合うバイデン支持者とトランプ支持のミリシア(自警団)や白人至上主義のＫＫＫ。オバマ・ケアを社会主義・共産主義とののしるトランプ支持者。トランプはホワイトハウスにしがみつき、米国社会に亀裂。夜空では、米中が宇宙軍拡競争。

▨露大統領プーチンは欧米型の「民主主義、自由・人権」など古くさいと中国と一緒になってわめく。ＦＳＢ強権支配体制下で政権に批判的なジャーナリストなどを暗殺。反プーチン運動の急先鋒ナワリヌイを暗殺しようと毒を盛ったが失敗。

▒北朝鮮・金正恩はトランプ流ディールに望みをかけた思惑が外れ「涙の演説」。韓国大統領・文在寅も米中冷戦激化と米政権の交代に翻弄される。

▒トルコ大統領エルドアンは国境を越えてシリアの内戦に介入しイラクのクルド人を攻撃。NATOの一員でありながら露製のMDシステム「S400」を導入。他方で、イスラエル製ミサイルをモサドから入手。東地中海でのガス田開発でギリシャと対立。アルメニアとアゼルバイジャンの紛争に手足を出し、アルメニアでのキリスト教会を破壊してのモスク建設に協力。国内でも反政府派を大弾圧。

▒英首相ジョンソンは貿易協定や英領海域の漁業権交渉などで欧州委員長フォンデアライエンと綱引きし、世界に先駆けてワクチンの接種開始。

▒イランではイスラエルのサイバー攻撃などで原発・核施設が炎上。イスラエル首相ネタニヤフはサウジ皇太子ムハンマドと「ひじタッチ」。パレスチナを踏みつけにして入植地に住宅建設。遠く龍と鷲が争い米中の影。

▒印度首相モディは中国とのあいだで山岳地帯の国境紛争。両軍の乱闘で死者。

▒日本は「自助」を叫び、「デジタル化」を掲げた菅政権の登場。二階が安倍・岸田を恫喝。安倍は花札姿で逃げだし、岸田はバケツを持って立たされている。菅は、マキャベリの「君主論」を小脇にはさみ、パンケーキに「蜜」をかけて労・学・マスコミをたらしこみ、「三密」ならぬ「三蜜」。「記者《きしゃ》」になれないトロッコはふにゃふにゃ。政労協議のハシゴを外されてきた「連合」会長・神津が、「賃上げ闘争」を投げ捨て、「救国」を掲げて政労使協議の陳情。学術会議の面々は任命拒否され鳩首協議中。三つ目の官房副長官・杉田和博が内閣人事局長として目を光らせ、鉄の六角錐テーブルの下でとぐろを巻く国家安全保障局長・北村滋が、ビッグデータで「非国民」をプロファイリング。経団連会長・中西はリモートで席に着いている。「生産性の低い中小をつぶせ」と叫ぶ竹中平蔵。デジタル庁創設を叫ぶ平井は、国会審議中にスマホで「ワニの動画」を見ていた。マイナンバーのマスコット「マイナ」が保険証・運転免許証・銀行口座の紐つけ。官房長官・加藤は高齢者いじめ。日共の志位は「磯のアワビの片思い」。大阪市長・松井が「くいだおれ人形」姿でヘタりこむ。東京都知事・小池がIOC会長バッハを籠絡。「産業・経済のデジタル化」を叫ぶ経団連・中西がAIで労働者を選別。革命的・戦闘的労働者たちは21春闘の戦闘的高揚に向けて奮闘。賃上げ闘争放棄をきめこむ「連合」事務局長・相原を労働者が弾劾。

▒二〇二一年の干支「牛」が、革共同第三次分裂に最終決着の宣言。

国際・国内の階級情勢と革命的左翼の闘いの記録（二〇二〇年十月～十一月）

国際情勢

10・1 香港で国慶節の日に民主化要求デモ、87人拘束
10・2 米大統領トランプが新型コロナウイルスに感染し入院。完治前に退院を強行（5日）
10・5 キルギスで議会選の不正に抗議し野党勢力が政府庁舎を占拠。親露の大統領が辞任（15日）
10・6 米下院司法委が米IT大手GAFAの独占禁止法違反との調査報告書、事業分割などを提言
▽インドネシア各地で〝雇用流動化法〟反対のデモ
10・8 米司法当局がミシガン州知事（民主党）の拉致・州議事堂襲撃準備の疑いで極右集団13人を逮捕
10・10 北朝鮮が真夜中の軍事パレードで新型ICBMを初公開。金正恩が涙ぐみ生活苦への謝罪を演技
10・11 トルコ軍が東地中海に資源開発探査船を12日から派遣と発表、ギリシャは強く反発
10・12 露主導「集団安全保障機構」がベラルーシで演習。カザフスタン、キルギス、タジスキスタンも参加
▽EU外相理事会がナワリヌイ事件で対露制裁を決定
10・13 ベルリン市のミッテ区当局が韓国系市民団体による舗道の慰安婦少女像設置を容認
10・14 タイ首都で王制改革・改憲を要求し学生ら1万人がデモ。デモ禁止令（15日）後も全国に拡大
▽中国・習近平が深圳の経済特区設置40年記念式典で「内需拡大・輸出促進」の「双循環」を提唱
10・15 米空母ロナルド・レーガンが南シナ海で演習
10・16 露大統領プーチンが「新START」の無条件

国内情勢

10・1 **首相・菅義偉が学術会議の推薦した新会員候補のうち6人を選別し任命拒否。** 菅が会員は「俯瞰的視点の人物が望ましい」と発言（5日）。自民党政調会長・下村博文が学術会議のあり方を検討するプロジェクトチーム設置を発表（7日）。菅が学術会議を「行政改革の対象、組織の見直しを検討」と言明（9日）
▽日仏外相会談（パリ）で共同軍事訓練など安全保障協力で合意
▽東京証券取引所でシステム障害、取引停止に
10・2 8月の完全失業率3・0％、完全失業者が200万人超に（3％台は17年5月以来）
10・6 菅が米国務長官ポンペオと会談し「インド太平洋構想」実現へ「日米同盟強化」を確認
▽日米豪印外相会談で「インド太平洋構想」実現へ会談定例化などを合意
10・7 菅が規制改革推進会議ですべての行政手続きでの押印・書面使用見直しを指示
▽原子力規制委が六ヶ所村の日本原燃「MOX燃料工場」が新基準「適合」と審査書案を了承
▽人事院が国家公務員の一時金引き下げ勧告。20年度月給を前年度から据えおく決定（28日）
10・8 自民党改憲推進本部が改憲原案策定の開始を確認。改憲原案起草委が初会合（13日）
▽北海道寿都町町長が高レベル放射性廃棄物最

革命的左翼の闘い

10・1 わが同盟が市民団体主催講演会（札幌市）で情宣。結集した労働者・市民に高レベル放射性廃棄物最終処分場建設にむけた文献調査への北海道寿都町・神恵内村の応募反対を呼びかけ
10・3 沖縄県学連が「辺野古新基地建設反対県民大行動」（名護市辺野古、キャンプシュワブ・ゲート前）を労働者・学生・市民700名の最先頭で牽引。わが同盟が「菅政権の新基地建設阻止！日米安保同盟強化反対」の情宣。辺野古浜でも県学連独自集会をかちとり埋め立て工事強行に怒りの声
10・6 早稲田大学、国学院大学をはじめとする首都圏のたたかう学生が首相官邸前での「菅政権の日本学術会議への人事介入に抗議する緊急行動」（総がかり行動実行委主催）に決起。〈反ファシズム〉の旗高く700名の労働者・市民とともに奮闘
10・17 鹿児島大学共通教育学生自治会が菅政権の学術会議会員任命拒否に抗議する緊急集会（鹿児島市鹿児島中央駅東口広場）を戦闘的に牽引、「学界へのファシズム的統制反対」を訴える自

での1年延長を提案、トランプ政権は拒否
▽米財務省が20会計年度の財政赤字3・132兆ドルで過去最高と発表
▽パリ近郊でムハンマド風刺画を見せた中学校教師がチェチェン出身者に殺害される。イスラム諸国で風刺画をめぐって仏への抗議デモが拡大
10・17 中国全人代常務委が安全保障を理由とするレアアースなどの輸出規制強化を決定
10・18 イランが国連安保理による武器輸出入禁止措置の自動的解除を宣言。20年解除規定にもとづいて
▽ボリビア大統領選でモラレス後継の左派アルセ勝利
10・20 米司法省がグーグルを反トラスト法違反でワシントンの連邦地裁に提訴
10・21 **米が台湾に巡航ミサイル135発やロケット砲システムなど約18億ドル相当の武器売却を決定**
▽中国全人代が「国防法」改定草案を公表。宇宙、電磁波、サイバーを防衛領域として新たに明記
10・23 **米がイスラエルとスーダンの国交正常化を発表**
▽習近平が朝鮮戦争参戦70年記念式典で台湾を念頭に「領土分裂には痛撃」と演説
10・24 核兵器禁止条約の批准国・地域が発効に必要な50に達する、米など核保有国と日本は不参加
▽アフガニスタン・カーブルで自爆攻撃、31人死亡。ＩＳ（「イスラム国」）が実行声明
10・26 米上院が連邦最高裁判事への保守派バレット就任を承認、同日夜に就任式を強行
▽ＷＨＯが欧州におけるコロナ感染第2波対策の加速を呼びかけ。スペインは再び非常事態宣言（25日）
▽ベラルーシで反ルカシェンコ派呼びかけのスト開始

終処分場選定にむけた文献調査への応募を表明。北海道神恵内村議会も地元商工会の文献調査への応募を求める請願を採択
10・13 最高裁が非正規労働者と正社員との一時金・退職金の格差は「不合理ではない」と反動判決。郵政契約社員への手当て不支給は「不合理」と判決（15日）
▽文部科学省が国立大学長・都道府県教育長などに元首相・中曽根康弘の内閣・自民党合同葬（17日）にあわせた弔意表明を事実上指示
10・14 森友疑獄で自殺した近畿財務局職員の妻の損賠訴訟公判に原告が「改ざんは佐川の判断」との上司の音声を提出。国に職員が遺した改ざん記録のファイル提出を要求
10・16 官房長官・加藤勝信が福島原発汚染水の海洋放出について月内に決定と言明。経済産業相・梶山弘志が決定見送りを表明（23日）
10・17 菅が靖国神社に真榊を奉納
10・19 **日豪防衛相が会談し共同声明、「武器等防護」の実施にむけ調整開始を合意**
▽菅が訪越し首相フックと会談。経済連携強化、防衛装備品・技術移転協定を合意
10・20 菅がインドネシアを訪問し大統領ジョコと会談。安全保障での連携強化を合意、新型コロナ対策で500億円の借款供与を表明
10・23 日英両政府が包括的経済連携協定に署名
10・26 **臨時国会開会。菅が所信表明演説で行政改革、デジタル化推進、温室効果ガス50年ゼロ・再生可能エネルギー開発・原発推進を謳う**

治会のビラを配布
10・18 北海道大学のたたかう学生が「さようなら原発北海道集会」（札幌市）に結集し400名の労働者・市民の先頭でたたかう。わが同盟が「泊原発廃棄・高レベル核廃棄物処分場建設阻止」を訴える情宣
10・18、25 **全学連と反戦青年委員会が全国各地で労学統一行動を実現。**米中冷戦下での菅政権による日米共同の先制攻撃体制構築反対、強権的＝軍事的支配体制強化・憲法改悪の極反動攻撃阻止、「自助」の名による人民への貧窮の強制許すなを掲げて奮闘
〈10・18〉 全学連九州地方共闘会議と反戦青年委員会が全九州労学統一行動（福岡市）。「馬毛島への軍事基地建設反対」「佐賀空港へのオスプレイ配備阻止」をも掲げ中心街・天神をデモ
〈10・25〉 全学連と反戦青年委が警察権力の厳戒態勢を突き破り国会・首相官邸・米大使館など首都中枢にむけ戦闘的デモ。「菅政権による学術会議会員の任命拒否を許すな」「『デジタル庁』の新設阻止」をも掲げる
全学連北海道地方共闘会議と反戦青年委員会が自民党道連（札幌市）にむけ進撃。六ヶ所村再処理工場本格稼働、寿都町・神恵内村の核廃棄物最終処分

▽米フィラデルフィアで警察官が黒人2人を射殺、全土で抗議デモが拡大、90人以上が逮捕

10・27 米・印が外務・防衛の2プラス2を開催

10・28 露軍がクリル諸島に主力戦車を配備と報道

10・29 **中共第19期中央委5中全会**（26日〜）**が第14次5ヵ年計画と35年までの長期目標の基本方針を採択**

11・2 オーストリア・ウィーンの6ヵ所で銃撃、4人死亡。「IS支持者のテロ」と報道

▽アフガニスタンのカーブル大学で銃撃、22人死亡。ISが実行声明と内務省が発表

11・3 **米大統領選の投開票。7日に民主党バイデンがペンシルベニア州を制し選挙人の過半数獲得を確実にしたと勝利演説、トランプは敗北宣言を拒否**

11・4 米のパリ協定離脱が確定し正式に離脱

▽中国が「海警法案」公表、武器使用など位置づける

11・5 米FRBがゼロ金利政策と量的緩和策維持決定

11・10 プーチンがアゼルバイジャンとアルメニアの停戦を発表。譲歩を強いられたアルメニアで抗議行動

▽上海協力機構がオンライン首脳会議、習近平とプーチンが米の内政干渉反対を強調

11・11 **中国全人代常務委**（10日〜）**が香港立法会の民主派4議員の資格剥奪を決定。民主派15議員が抗議し辞表提出**（12日）

11・12 ASEANオンライン首脳会議。南シナ海での「紛争の平和的解決」を謳う議長声明を発表（18日）

11・15 **RCEP（地域包括的経済連携）オンライン首脳会議、日中韓など15ヵ国が協定に署名。印は不参加**

▽モルドバで大統領選決選投票、親欧米派が勝利

▽日米統合演習「キーン・ソード21」を開始（〜11・5）。総勢4・6万人の過去最大規模

10・27 ANAが21年3月期連結最終損益が5100億円の赤字見通しと発表。JALも赤字の見通しと発表（30日）

10・29 新型コロナの国内感染者が10万人超に

10・30 9月有効求人倍率1・03倍、9ヵ月連続減

11・1 **大阪都構想の住民投票、反対多数で否決。**日本維新の会共同代表・松井一郎が大阪市長任期後の政界引退を表明

11・3 日米豪印4ヵ国海軍の共同演習「マラバール」がインド沖ベンガル湾で開始（〜6日）

11・6『経済財政白書』で「IT人材投資」謳う

▽9月の消費支出が前年同月比10・2％減

11・9 新型コロナ関連の解雇・雇い止めが6日時点で7万242人（見込み）と厚生労働省が発表

▽北海道で新型コロナ感染者が初の1日200人に

▽経団連が30年実現をめざす新たな「成長戦略」でデジタル化、新型原子炉建設などを謳う

11・10 日銀が地域金融機関統合促進策として当座預金口座に0・1％の金利を上乗せと決定

11・11 **東北電力女川原発2号機の再稼働を宮城県知事・村井嘉浩、女川町長、石巻市長が同意**

▽原子力規制委が青森県むつ市の使用済み核燃料中間貯蔵施設が新規制基準に適合と決定

11・12 **菅との電話協議でバイデンが尖閣諸島に日米安保条約第5条が適用されると言明**

11・14 日中韓＋ASEAN首脳会議

場建設策動反対をも掲げ

全学連東海地方共闘会議と名古屋地区反戦が名古屋市中心街・栄をデモで席巻。反戦反改憲と同時にパンデミック恐慌下での賃金切り下げ、解雇・雇い止め攻撃粉砕の声高く

全学連関西共闘会議と反戦青年委員会が自民党大阪府連・大阪市役所（大阪市）に進撃。大阪都構想実現を強行せんとする「維新の会」松井の大阪市当局にも弾劾の嵐

沖縄県反戦労働者委員会と県学連が戦闘的デモで那覇市・国際通りを進撃、自民党県連に「辺野古新基地建設阻止」「貧窮する労働者・人民を見殺しにする菅政権を許すな」の怒りのシュプレヒコール

10・24 金沢大学共通教育学生自治会が金沢市香林坊で街頭情宣。菅政権による軍事力強化・学術会議会員任命拒否を弾劾

10・31 鹿大共通教育自治会が「日米共同訓練に反対する鹿児島集会」（鹿児島中央駅東口広場）に結集し150名の労働者・学生・市民の先頭で牽引。学生独自の「日米新軍事同盟の強化反対」「辺野古新基地建設阻止」「憲法改悪阻止」のシュプレヒコールに労働者・市民が呼応

11・17 米国防総省がアフガニスタン駐留米軍を約2000人削減、イラク駐留米軍も約500人削減と発表

11・19 米国務長官ポンペオがイスラエル入植地初訪問

11・20 APEC首脳会議がオンラインで開催、習近平がTPP参加を前向きに検討と表明

11・22 **イスラエル首相ネタニヤフがサウジアラビア極秘訪問、皇太子ムハンマドやポンペオと会談**

▽G20オンライン首脳会議（21日～）

11・23 トランプがバイデンの政権移行準備を容認。バイデン政権移行チームが国務長官ブリンケンら発表

▽香港で黄之鋒ら民主派3人の保釈を取り消し収監

▽バイデンがNATO事務総長、EU大統領、欧州委員会委員長と電話会談。同盟関係重視を伝える

▽サウジ西部の石油施設をフーシ派がミサイル攻撃

11・24 アフガニスタン復興支援国際会議（23日～）、120億ドルの資金拠出を確認

▽中国が月面無人探査機「嫦娥5号」を打ち上げ

▽韓国で法相が「不正疑惑」を理由に検事総長に職務停止命令。裁判所は停止措置の停止決定（12月1日）

11・25 世界で新型コロナ感染による死者140万人超に、感染者は約6000万人。米国は死者が約26万人に

11・26 トルコ大統領エルドアンがカタール首長サニと会談、経済連携強化で合意

11・27 **イラン核開発トップの科学者ファクリザデが襲撃され暗殺される。大統領ロウハニはイスラエルが関与、報復すると演説**

11・29 アフガニスタン東部の軍事施設で自爆攻撃、兵士31人死亡。南部の州でも州政府当局者に自爆攻撃

▽社民党が臨時党大会で党員の立憲民主党への離党を認める議案を可決、党は分裂へ

11・16 7～9月期GDPが前期比5・0％増、前年同期比5・8％減

11・17 **菅が豪首相モリソンと会談し防衛協力・共同演習の「円滑化」などを謳う共同声明**

▽川内原発1号機が前倒し再稼働、「特重」設置基準の改定後はじめて

▽大学卒の就職内定率が5年ぶりに7割を切る

▽自民党がマイナンバーカード普及のため将来健康保険証を廃止する提言

11・20 JTBがグループ従業員の2割超にあたる約6500人の人員削減を発表

▽国内の1日あたりのコロナ感染者が2428人と3日連続で最多を更新。感染対策分科会がGoToキャンペーンの見直しを提言

11・23 **「桜を見る会」問題で東京地検特捜部が安倍晋三の公設第1秘書らを事情聴取との報**

11・24 来日した中国外相・王毅と外相・茂木敏充が会談。日中のビジネス関係者の往来を11月中に再開と合意、尖閣の領有権で両者が譲らず。王と菅、二階俊博が会談（25日）

11・27 厚労相・田村憲久が雇用調整助成金の特例措置の期限を21年2月末まで延長と発表

▽馬毛島での基地建設にむけた防衛省のボーリング調査申請を鹿児島県知事が許可と表明

11・28 菅が入間基地の航空観閲式で「防衛の新領域に陸海空の垣根を越えとりくめ」と訓示

11・3 首都圏のたたかう学生が菅政権による学術会議会員の任命拒否などに抗議する国会前「11・3大行動」（総がかり行動実行委員会主催）に結集。「敵基地先制攻撃体制構築反対」「憲法改悪絶対阻止」を呼びかけ〈反戦・反ファシズム〉の旗高く奮闘。わが同盟が檄

▽金沢大共通教育学生自治会が「石川県憲法を守る会」主催の改憲反対集会（金沢市役所前広場）に結集し、150名の労働者・市民の先頭でたたかう。つづいて「改憲を許すな！」集会（「市民アクションいしかわ」主催）に参加したたかう。わが同盟が「反戦・反ファシズムの闘いに起て」のビラを配布

▽「9条改憲NO！ 安倍政治の継承許さない福岡県民集会」（福岡市）にわが同盟が戦闘的檄

11・21 沖縄県反戦労働者委員会のたたかう労働者が辺野古新基地建設反対の海上アピール行動を最先頭で牽引。海上保安庁の弾圧をはね返し、K8護岸にむけ果敢に抗議行動

『新世紀』バックナンバー

No.307 2020年7月

新型コロナ禍 反安倍政権の炎を

人民見殺しの安倍政権打倒／コロナウイルス出生の闇／政府は休業補償せよ／困窮学生の切り捨て弾劾／奮闘する医療・介護・教育労働者／米の感染爆発／春闘圧殺に抗して―私鉄・自動車・化学・NTT・鉄鋼・郵政／73年横須賀闘争

No.308 2020年9月

〈米中冷戦〉下の革命的反戦闘争を

反戦集会海外へのアピール／香港国家安全維持法弾劾／**特集 新型コロナ感染拡大 労働現場の報告**／困窮学生の切り捨て弾劾／自動車・鉄鋼・電機・NTT・教育戦線の闘い／パンデミック恐慌／「革命論入門」学習／ロッキード反戦闘争

No.309 2020年11月

今こそ〈反戦反ファシズム〉の炎を！

菅新政権の反動攻撃を打ち砕け／第58回国際反戦集会基調報告／中国主敵の日米軍事一体化／中国全人代が示したもの／パンデミック恐慌下の攻撃／労働戦線の闘い／対象認識と価値意識・価値判断／黒田寛一著作集刊行にあたって

No.310 2021年1月

菅政権の反動攻撃を打ち砕け

先制攻撃体制構築と改憲を打ち砕け／「日本学術会議」会員の任命拒否弾劾／米大統領選／「ワクチン開発」の裏での生物兵器開発／菅政権の原発・核開発／代々木官僚の政権ありつきパラノイア／郵便集配合理化反対／不破「恐慌論」

新世紀 第311号 (隔月刊)

日本革命的共産主義者同盟 革命的マルクス主義派 機関誌©

発行日 2021年 2月 10日

発行所 解 放 社

〒162-0041 東京都新宿区早稲田鶴巻町 525-3

電話 03-3207-1261 振替 00190-6-742836

URL http://www.jrcl.org/

発売元 有限会社 K K 書 房

〒162-0041 東京都新宿区早稲田鶴巻町 525-5-101

電話 03-5292-1210 振替 00180-7-146431

URL http://www.kk-shobo.co.jp/

ISBN 978-4-89989-311-0 C0030